Christie Ridgway

Locura de una noche

HARLEQUIN™

Editado por HARLEQUIN IBÉRICA, S.A.
Núñez de Balboa, 56
28001 Madrid

© 2009 Christie Ridgway. Todos los derechos reservados.
LOCURA DE UNA NOCHE, Nº 2003 - 27.11.13
Título original: I Still Do
Publicada originalmente por Silhouette® Books
Este título fue publicado originalmente en español en 2009

I.S.B.N.: 978-84-687-3605-1
Depósito legal: M-24068-2013
Editor responsable: Luis Pugni
Impresión en Black print CPI (Barcelona)
Fecha impresión Argentina: 26.5.14
Distribuidor exclusivo para España: LOGISTA
Distribuidor para México: CODIPLYRSA
Distribuidores para Argentina: interior, BERTRAN, S.A.C. Vélez Sársfield 1950 Cap. Fed./ Buenos Aires y Gran Buenos Aires, VACCARO SÁNCHEZ y Cía, S.A.

Querida lectora:

Rápido. Visualiza a tu primer amor. Y ahora, imagina que vuelves a encontrarlo. Los dos estáis solteros, el sol brilla con fuerza y la antigua magia que había entre vosotros reluce como si fuera polvo mágico flotando en el aire...

Este es el momento que Emily Garner y Will Dailey viven cuando se encuentran por casualidad en el vestíbulo de un hotel de Las Vegas. Y la magia no desaparece a medida que avanza la noche. Al contrario, Emily y Will disfrutan de los increíbles sentimientos que albergan el uno por el otro, y dos días más tarde, animados por esas emociones, visitan una pequeña capilla y hacen una impulsiva apuesta el uno por el otro.

Pero al regresar a la vida real tendrán que enfrentarse a las consecuencias de su alocada decisión. Tras toda una vida de responsabilidad criando a sus cinco hermanos menores, Will estaba deseando llevar una vida de soltero. Emily está abierta a un nuevo comienzo y quiere encontrar el amor, pero ¿será Will «el salvaje» el hombre adecuado para ella?

El primer amor convertido en amor eterno es uno de mis temas románticos favoritos. Espero que disfrutes con la historia de amor con final feliz de Emily y Will.

Con mis mejores deseos,

Christie Ridgway

Capítulo 1

EMILY Garner se despertó y giró la cabeza hacia un lado. Su mejilla se topó con algo fresco en el rasposo material de… ¿la almohada? Las almohadas no picaban.

Movió los dedos de los pies y encontró confines rígidos.

Las sábanas tampoco le confinaban normalmente los pies. Aspirando con fuerza el aire, se dio cuenta de que todavía llevaba puesto aquel sujetador sin tirantes que le había prestado Izzy y que suponía una tortura. El aro inferior hacía que sintiera como si fuera a sufrir un inminente ataque de asma.

Así que estaba completamente vestida. Y además se dio cuenta de que estaba encima de la cama en lugar de metida dentro. Lo que significaba que la noche anterior tendría que haber… ¡La noche anterior! El corazón le dio un vuelco al pensar en la noche anterior. Lo ocurrido en la oscuridad de aquellas horas le inundó el cerebro. Abrió los ojos de sopetón y se incorporó en la cama.

Las oscuras cortinas que cubrían las ventanas del hotel sumían la habitación en una penumbra turbia. El sol se colaba a través de los extremos, confirmando que habían transcurrido horas y no escasos minutos desde que se sentó en la cama después de…

La puerta del baño se abrió de golpe. A Emily le dio un vuelco el corazón cuando apareció una figura oscura en el umbral. La luz dorada se reflejaba a su espalda, igual que el vapor de la ducha, como le había sucedido a la cantante estrella del espectáculo de Las Vegas que habían visto la noche anterior, antes de…

Oh, Dios.

—¿Will? —suspiró con un voz ronca. Una mano se apretó el corpiño del vestido al pecho mientras que la otra tiraba del bajo del liguero, otro préstamo de Izzy—. ¿Esto… esto es…?

—Es tu mejor amiga —la voz ronca de Izzy, se identificó cuando salió del umbral.

Emily sintió solo un leve alivio.

—Entonces, ¿ha sido todo un sueño? —preguntó algo esperanzada.

—No —respondió Izzy acercándose a la cama—. Ha ocurrido. Y después de casarnos con esos hombres, parece que hemos perdido a nuestros maridos.

Nuestros maridos. Emily pronunció las palabras mientras Izzy descorría las cortinas. El sol le dio de lleno en la cara y se puso las manos en los ojos con un gemido.

—¿En qué estábamos pensando?

A través del escudo de sus dedos podía sentir a Izzy moviéndose por la habitación.

—Estábamos pensando en que era una buena idea en ese momento —respondió su amiga.

Emily se tragó su siguiente queja infantil, porque Dios sabía que no era ninguna niña. Tenía treinta años.

Pero así era como había empezado todo, ¿verdad? Con ella y Izzy celebrando su entrada en la década de los treinta durante la reunión anual de bibliotecarias que se celebraba cada septiembre. Tras pasar dos días con otros bibliotecarios que parecían tan rancios y aburridos como un ejemplar de la *Enciclopedia Británica*, Emily estuvo de acuerdo con su antigua compañera de habitación y actual mejor amiga en que había llegado el momento de dejar de ser un estereotipo y empezar a vivir un poco.

Y entonces, dos tardes atrás, se tropezó con Will Dailey cuando ambas se encaminaban a la piscina del lujoso hotel Jungle.

Nunca llegaron. El hecho de haberse encontrado con un viejo amigo fue al parecer suficiente para ambos.

Desde luego, para ella había sido el fin del mundo.

Emily dejó caer las manos y miró de reojo a Izzy, que miraba el teléfono móvil con el ceño fruncido.

—Oh, Izzy, por Dios. Nunca pensé que hubiéramos bebido tanto.

Izzy se encogió de hombros.

—Bebimos lo suficiente. Y eso fue la guinda tras cuatro noches sin dormir, dos porque trasnochamos para intentar ponernos a tono, y las otras dos porque nos agasajaron dos hombres que se merecen un puesto cada uno en el calendario solidario de los bomberos. Creo que podemos asegurar sin lugar a equivocarnos que anoche estábamos influenciadas.

¿Influenciadas por qué, exactamente? En el caso de Emily, el sentimentalismo formaba parte de la ecuación. Will era un amigo de la infancia, el chico de verano al que había amado desde los doce hasta los diecisiete años. Y luego estaba la promesa que le había hecho a Izzy de «vivir un poquito», por no mencionar los nervios normales de una mujer a punto de iniciar un nuevo trabajo… en el mismo condado en el que vivía Will.

—¿Esto te trae recuerdos? —Izzy se acercó más levantando el teléfono móvil en la mano. En la pantalla había una foto de Will y Emily. Se reían delante de la cámara, abrazándose con fuerza. Ella parecía feliz, y él…

Completamente adulto. Impresionantemente guapo, con los hombros y el pecho ancho, por no mencionar los fuertes brazos que la abrazaban con tanta fuerza que Emily pudo sentir el delicioso aroma de su cuello. Suspiró y volvió a mirar su propia imagen.

—Me había olvidado del velo.

—¿Te acuerdas? Los alquilamos. Pero el anillo de boda es tuyo. Te lo puedes quedar.

Emily bajó la vista hacia la mano izquierda. Y ante la visión de aquel círculo reluciente revivió una y otra vez toda la velada. Lo bien que se lo estaban pasando, la loca idea de cumplir la vieja promesa que se habían hecho cuando eran niños de casarse a los treinta si estaban solteros, el modo en que Izzy y el mejor amigo de Will, Owen, se habían entusiasmado con la idea de ser sus testigos… Y luego la impulsiva y vertiginosa decisión que habían tomado ellos mismos de casarse también. Los chicos, que ahora eran sus maridos, habían dicho que las esperaban en una mesa del bar.

—Yo solo iba a sentarme en la cama durante un instante —le dijo Emily a Izzy.

Su amiga asintió con la cabeza y cerró el teléfono.

—Yo también. No encontraba mi barra de labios, y pensé que, si cerraba los ojos, recordaría dónde la había puesto.

Emily se apretó los ojos con fuerza.

—De acuerdo, de acuerdo, nos hemos metido en un lío. Pero Izzy, menos mal que estás conmigo en esto.

Izzy estaba recorriendo la habitación de arriba abajo, pero Emily tenía jaqueca, así que se dejó caer sobre el colchón para pensar.

—La buena noticia —dijo— es que siempre habíamos querido ser la dama de honor en la boda de la otra.

—Tampoco pensamos en eso lo suficiente —dijo Izzy desde el cuarto de baño—. ¿Cómo íbamos a ser las dos damas de honor? Tú te casaste primero anoche, así que yo sí fui tu dama de honor, pero tú fuiste la madrina de honor en la mía.

Madrina. ¿Madrina? ¿Una mujer casada? Eso no parecía real. Y casada con Will… Bueno, era una idea digna de sus sueños de adolescentes. Cuando vio la oportunidad de un puesto de trabajo en el condado de Ponderosa, en California, le llamó la atención porque el hogar de Will, Paxton, estaba allí. Pero cuando presentó la solicitud y más tarde aceptó el trabajo, nunca consideró seriamente la posibilidad de volver a verlo. Había salido de su vida cuando ella tenía diecisiete años, la última vez que estuvieron juntos en el campamento de verano de las Sierras.

El pulgar de Emily recorrió el círculo de oro de su dedo izquierdo. Aparte de saber que Will era bombero, sabía poco de lo que había sido su vida en los últimos trece años. Pero habían tenido tiempo de sobra para disfrutar de su mutua compañía en los dos últimos días. En las piscinas del hotel, saltando a la pista de baile con Izzy y Owen en más de una ocasión, aunque nunca se detenían en las máquinas tragaperras o en las mesas de juego. Sentía como si ya tuvieran bastante suerte con estar juntos.

Pero ¿qué iban a hacer ahora? Era un auténtico lío. No solo porque Izzy y ella hubieran dejado plantados a sus maridos la noche anterior, sino porque aquello no era una broma de niños ni una novatada de universidad, sino un asunto serio al que los cuatro tendrían que enfrentarse. Seguro que ellos pensaban lo mismo.

Will y Owen trabajaban como bomberos en Paxton y Emily iba a mudarse a una localidad cercana, pero Izzy trabajaba para bibliotecas de todo el país. Tenía sus pertenencias repartidas en casa de amigos entre California y Connecticut, y Emily dudaba de que pagara siquiera un alquiler en algún lado. Resultaba difícil imaginarse a Emily asentada en un lugar fijo… pero pensar en lo que Izzy iba a hacer era solo una excusa para no pensar en su propia vida y en lo que tenía que encarar.

Por suerte, Izzy no iba a dejarla sola.

—Te quiero, Izzy. Me alegro mucho de que estés ahora aquí conmigo.

Emily abrió los ojos y miró a su amiga, que estaba

de pie al lado de la cama con la maleta llena. En su hermoso rostro color aceituna y en sus ojos marrones se reflejaba la culpa, y apartó la mirada de Emily.

Emily se incorporó todavía más, preguntándose ahora por qué su amiga se movía con tanta decisión por la habitación que compartían.

—Izzy, ¿qué estas haciendo?

Izzy, tan chic como siempre, llevaba un traje pantalón negro sin mangas y zapatos de tacón bajo.

—Yo… Tengo que tomar un vuelo. Ya sabes que me esperan en Massachusetts mañana por la mañana.

—Yo sí que te necesito. Todos necesitamos ayuda. ¡Por el amor de Dios, nos hemos casado anoche!

—No puedo enfrentarme a eso ahora mismo —aseguró Izzy sonrojándose—. Tengo trabajo, y… y…

—¿Qué va a pensar Owen? ¿Qué se supone que tiene que hacer? ¿Y qué voy a hacer yo? —Emily deseaba llorar, pero tenía miedo de venirse abajo por completo.

—Ya se le ocurrirá algo a Owen. Puedes darle el número de móvil… o, mejor dicho, no se lo des. Dile que yo le llamaré. Pronto. Justo cuando termine con este trabajo. O con el siguiente.

Emily se quedó mirando a su amiga. Nunca había visto a Izzy tan nerviosa y asustada.

Emily salió de la cama y se acercó a su amiga.

—Izzy —dijo acariciándole el brazo—. ¿Qué ocurre?

La morena dejó escapar una risa nerviosa.

—¿Aparte del hecho obvio de que nos hemos casado anoche? ¿Crees… crees que conseguiremos que nos anulen el matrimonio?

Emily suspiró.

—Supongo que… Bueno, no hemos tenido relaciones sexuales con ellos.

Los hombros de Izzy se desplomaron de pronto.

—Así es.

—¿Qué? —Emily entornó los ojos—. Izzy…

—Tengo que irme —en un movimiento rápido, la otra mujer abrazó a Emily, agarró sus maletas y corrió hacia la puerta—. Estamos en contacto.

—¡Izzy! —pero Emily se quedó con la puerta cerrada en una habitación que tenía que dejar antes de las once de la mañana.

Y con la certeza de que estaba sola. De nuevo.

La idea la golpeó con fuerza.

Sola, como había estado durante los últimos ocho meses desde que su madre, su único pariente vivo, había fallecido.

Pero en lugar de permitir que la soledad se adentrara en ella, se concentró en el problema que tenía entre manos. ¿Qué iba a hacer ahora?

La única respuesta que se le ocurrió fue seguir el ejemplo de Izzy. Pero no podía hacerlo. No podía marcharse a hurtadillas de Las Vegas.

Armándose de valor, se acercó al teléfono de la habitación. No tenía el móvil de Will, pero el hotel podía conectarle con su habitación.

No respondió al teléfono.

Ni tampoco lo hizo diez minutos más tarde, cuando ella hizo las maletas.

De acuerdo, negoció consigo misma. Lo intentaría una vez más, y si no obtenía respuesta, le dejaría un mensaje. Había practicado en voz alta.

—Will, soy Emily. Oye, tengo que irme. Quedemos en Paxton para… resolver este asunto.

Tenía un tono animado, alegre incluso. Ni rastro del torbellino que sentía en su interior ni del alivio que suponía para ella posponer el inevitable enfrentamiento.

Tras dejar el mensaje y colgar el teléfono, hizo lo que había querido hacer desde el principio. Hizo lo mismo que Izzy y se marchó de la ciudad.

Pensando con lógica, se dijo a sí misma que un viaje en coche hasta California en compañía con todas las pertenencias que se llevaba a su nuevo trabajo era el mejor modo de pensar cómo afrontar el hecho de ser ahora una mujer casada.

Y pensar en cómo se había metido en semejante lío.

Por primera vez en su vida, Will Dailey deseó ser agente de policía en lugar de bombero. Entonces, pensó mientras se dirigía a la doble puerta acristalada de la biblioteca del condado, podría entrar con un juego de esposas y arrestar a aquella mujer.

Emily Garner.

Su esposa.

La idea le produjo un nuevo retortijón en el estómago, que llevaba funcionando como una hormigonera desde que descubrió que la mujer con la que se había casado había salido del hotel y había huido de Las Vegas, dejando tras de sí únicamente un mensaje cobarde y demasiado animado. Entonces Will había salido corriendo, pero no había sido capaz de encontrarla hasta aquel día, casi una semana después, en el que iba ser el primer día de Emily en aquel trabajo.

Y la primera cara que iba a ver sería la suya, se

dijo con una sonrisa. Luego abrió la puerta y entró, decidido a aclarar las cosas de una vez por todas.

Allí estaba ella.

A su pesar, Will se quedó paralizado. Al final de la espaciosa alfombra, con la cabeza inclinada sobre unos papeles en su escritorio, estaba la mujer que había dicho «Sí, quiero» cinco noches atrás con voz ronca y una traviesa promesa brillándole en los ojos. Cielos, él sentía algo por Emily Garner desde la primera vez que la vio, cuando tenía doce años.

Will era nuevo en el campamento de verano. Sus padres habían pensado, y con razón, que necesitaba pasar un tiempo alejado de sus cinco hermanos menores, que contaban con edades comprendidas entre los dos y los diez años. Emily era la campista avezada encargada de enseñarle cómo funcionaba todo.

En aquel entonces llevaba su cabello castaño recogido en dos trenzas y tenía una picadura de mosquito en una de las morenas rodillas. Will pensó entonces que tenía los ojos más azules del mundo y supo que iba a pasar el mejor verano de su vida.

Hubo cinco más como aquel primero. Nadar, montar en canoa, tirar al arco, hacer fogatas. Emily riéndose de sus chistes, retándole en las carreras, permitiéndole que le robara un beso cuando tenían trece años.

Después de eso, hubo muchos besos más.

Will fue al instituto y destacó en los deportes, sobre todo en el deporte de coquetear con las chicas... con muchas chicas. Pero los veranos eran de Emily. Él era de Emily. Llevaba la pulsera que ella había hecho, y Emily se ponía su sudadera de fútbol de las Panteras de Paxton cuando las noches refrescaban. La última noche del último verano, se tumbaron boca arriba, hombro contra hombro sobre la cálida hierba. Con el aroma de los pinos en los pulmones y el dulce sabor del primer amor en la lengua, soñaron despiertos con su futuro. Tenían las manos entrelazadas y sudorosas, pero ninguno de ellos la retiró cuando prometieron casarse si seguían estando solteros cuando cumplieran los treinta. Will no recordaba qué los había llevado a mantener aquella conversación, ni por qué habían hecho aquella promesa.

No estaba pensando en el matrimonio.

Solo pensaba en Emily.

Pero entonces regresó a casa y una tragedia acaecida en una lluviosa noche de septiembre cambió su vida para siempre. No, para siempre no, se apresuró a recordarse. De hecho, acababa de recuperar su vida. Y una boda impulsiva e inoportuna en Las Vegas no iba a devolverle a la urna de interminables responsabilidades hacia los demás en la que había estado encerrado durante los últimos trece años.

Aspirando con fuerza el aire, se regaló unos minutos más para observarla desde lejos. Tal vez entonces llegara a comprender cómo era posible que Emily se hubiera introducido en sus primeras vacaciones de adulto con tanta rapidez como para que hiciera algo tan ridículo como era plantarse delante de un tipo disfrazado de Elvis y decir: «Sí, quiero».

Emily parecía también ahora adulta con aquel vestido color caqui abotonado hasta la barbilla y perfectamente planchado. Su brillante cabello castaño era demasiado corto como para que pudiera hacerse trenzas. Se rizaba alrededor de su rostro en forma de corazón, y un flequillo le enmarcaba aquellos impresionantes ojos azules. Tenía la nariz pequeña, como toda ella, y su boca presentaba un aspecto suave. Era suave, y también apasionada, recordó.

—¡Will el salvaje!

Al escuchar su antiguo apodo, Will giró la cabeza para mirar a un joven que le resultó vagamente familiar.

—Mmm… ¿Jared? ¿Jon?

—Jake —dijo el muchacho extendiendo la mano y estrechando la de Will con fuerza—. Soy amigo de Betsy. La fiesta de la piscina, ¿te acuerdas? Me di un golpe en la cabeza y me llevaste a urgencias.

—Ah, sí —no era la primera vez que tenía que hacer de niñera con uno de los amigos de sus hermanos.

—¿Qué tal le va a Betsy?

—Se ha graduado en la universidad —Will no pudo evitar sonreír de oreja a oreja. Su hermana pequeña se había independizado. Tras trece años de preocupaciones, trece años de angustia, trece años de fingir que sabía lo que estaba haciendo cuando sus hermanos le miraban en busca de seguridad y apoyo, finalmente se había liberado de la familia.

Se había liberado de las preocupaciones.

—¿Se ha ido de casa?

—Sí. Se han ido todos.

Jake debió de percibir el tono de alivio y satisfacción en su voz, porque sonrió abiertamente.

—Vaya, pareces un tipo dispuesto a recuperar el tiempo perdido. Ahora le toca el turno a Will el salvaje, ¿verdad?

Will el salvaje. Allí estaba otra vez aquel viejo mote que le habían puesto en el instituto, y al que había hecho honor, al menos hasta un punto. Porque los veranos eran de Emily. Miró hacia atrás y vio que ella seguía allí, con el ceño todavía fruncido sobre los papeles, ajena a su presencia. Cielos, si él hubiera conseguido mantenerse ajeno a su presencia en Las Vegas… Pero sus miradas se habían cruzado y ambos detuvieron los pasos, asombrados de volver a verse. Él seguía asombrado. Era la única mujer en todo el mundo con la que esperaba encontrarse apenas unas semanas después de haberse prometido que por fin había llegado su momento, su momento de volar alto.

Y todo para aterrizar de golpe y ser atrapado.

—Tengo mucho que vivir —le dijo a Jake, aunque en realidad se lo estaba recordando a sí mismo—. He estado mucho tiempo atado.

—Sí, ya me imagino —dijo Jake sonriendo—. Pero, oye, la biblioteca no es el primer sitio al que yo acudiría para divertirme —el muchacho recorrió la sala con la mirada y abrió los ojos de par en par—. Aunque por otro lado, no recuerdo que las bibliotecarias tuvieran ese aspecto.

—¿Qué aspecto? —Will frunció el ceño.

El muchacho dejó escapar un silbido en tono bajo.

—Tal vez me deje examinarla a ella en lugar de examinar un libro.

Molesto, Will clavó la vista en Emily y luego volvió a posarla en Jake. No sabía qué le irritaba más, si que ella no tuviera el aspecto propio de una bibliotecaria o que el muchacho estuviera prácticamente babeando encima de su mujer.

Oh, cielos. Su mujer.

—Sí —continuó el joven frotándose las manos—. Me pregunto qué habrá que hacer para pillarla.

—Escucha, Jake —se escuchó decir Will. Entonces sonó su busca, evitando así que hiciera el ridículo. Bajó la vista para leerlo y soltó un gruñido.

—¿Qué ocurre?

—Se trata de mi capitán. La gente está cayendo como moscas por culpa de un virus de la gripe que anda rondando por aquí. Es mi día libre, pero tengo que irme.

—Ah, qué pena —Jake lo agarró del hombro—. Pero anímate. Conseguirás tu porción de lado salvaje. Lo sé.

Will se giró hacia la puerta no sin antes mirar de reojo una vez más hacia atrás. Sí, desde luego que iba a conseguir su porción de lado salvaje. En cuanto le quitara a Emily el anillo de casada del dedo.

Capítulo 2

EL día después de que la gripe dejara la estación de bomberos bajo mínimos, Will regresó a la biblioteca. Había pasado por su casa para darse una ducha y dormir un rato tras terminar su turno extra. Había sido una noche movida y no creía que fuera muy inteligente enfrentarse a Emily sin cargar primero las pilas. Pero ahora, completamente despejado tras una segunda ducha y dos tazas de café, había llegado el momento de… romper.

Abrió la puerta de cristal y su mirada se clavó de inmediato en Emily, que estaba otra vez en el escritorio y que resultaba otra vez tremendamente sexy con aquel jersey a juego con sus increíbles ojos azules. Tres adolescentes la rodeaban mientras agarraban con fuerza sus bolígrafos y sus papeles, mirándola como si estuvieran delante de una diosa.

—Noventa y cinco tesis —dio riéndose—. Lutero

publicó noventa y cinco tesis en la puerta de la iglesia. Esta ha sido la última. Estoy segura de que vuestro profesor de Historia Europea os ha mandado a la biblioteca a buscar respuestas en los libros, no en la bibliotecaria.

—Una más, por favor —suplicó un muchacho. Su camiseta de fútbol americano dejaba claro dónde pasaba los viernes por la noche—. Tengo que estar en el entrenamiento dentro de veinte minutos, y si no hago esto ahora, luego no tendré tiempo para estudiar Lengua.

Emily ya estaba sacudiendo la cabeza, pero entonces su mirada se posó en Will, que se estaba acercando al grupo. Las mejillas de Emily se encendieron y él la vio tragar saliva.

—Bueno, yo, supongo que…

—La señorita Garner siempre ha sentido debilidad por los jugadores de fútbol americano —comentó Will deteniéndose detrás de los chicos.

Emily lo atravesó con la mirada mientras que el escolar más alto sonreía y miraba los papeles que tenía en la mano.

—Estupendo. ¿Qué era lo otro que necesitábamos saber, chicos?

—¿Quién escribió *El Príncipe*? —preguntó la chica del grupo—. Eso es lo último.

—Nicolás de Maquiavelo —respondió Emily con voz pausada—. Le colgaron un sambenito injusto. Su nombre se asocia con el cinismo y la falta de escrúpulos, cuando en realidad estaba en contra de la inmoralidad de su época y se limitó a escribir sobre la realidad política del momento.

Pero su corta lección de historia fue completamente ignorada por los estudiantes, que rellenaron rápidamente el último espacio en blanco de sus papeles y salieron corriendo de la biblioteca.

Dejando a Will a solas con su esposa.

Pero ahora que tenía toda su atención, no sabía por dónde empezar. No era cobardía, era… algo más que le hacía vacilar. Pero que lo asparan si iba a permitir que ella le llevara ventaja. Cruzándose de brazos, se dijo que aquel día iban a jugar con sus reglas.

Y sin embargo, miró en dirección a los adolescentes que se iban en lugar de cambiar de tema.

—¿Nosotros fuimos alguna vez así de jóvenes? —le preguntó.

Ella se encogió de hombros. Tenía las mejillas más sonrosadas de lo normal.

—Resulta difícil de creer. Pero sí. Y además, a esa edad yo sabía quién era Maquiavelo.

—Y también sabías besar muy bien.

Emily volvió a sonrojarse, pero Will no se sintió mal por ello. Porque pensar en Emily y en los besos con lengua también le había hecho sofocarse a él. La primera vez que se habían besado, Will estaba demasiado asustado para hacer otra cosa que no fuera rozar los labios con los suyos. Así había sido en las muchas ocasiones que se besaron a los trece y catorce años. Pero el verano que él tenía quince, al hilo de una experiencia del invierno anterior, cuando una chica mayor que él le había introducido en aquella práctica, llevó sus besos con Emily a un nuevo nivel.

En Las Vegas, tras la sorpresa inicial al reconocerse, Will la abrazó primero y luego le rozó la mejilla con los labios. Pero aquella noche, más tarde, cuando bailaban agarrados, él se inclinó sobre su boca y, sin pensárselo dos veces, le acarició la húmeda y cálida lengua con la suya. Durante ese beso fue consciente de dos cosas, una de ellas asombrosa: que se amoldaban el uno al otro como si el tiempo no hubiera transcurrido entre ellos; y la otra, crucial: ninguno de los dos era ya un niño. Ahora eran adultos, y él quería disfrutar como un adulto.

¡Pero no casarse!

Sacudiendo la cabeza, Will se acercó al escritorio. Era el momento de abordar el problema.

—¿En qué diablos estábamos pensando?

Emily levantó los hombros y alzó las manos.

—He leído que en los casinos oxigenan de más el aire. Tal vez estuviéramos algo...

—¿Drogados?

Porque Dios sabía que él estuvo mareado todo el tiempo que pasaron juntos. Pero ¿era culpa del casino... o de Emily? Porque cuando se dio cuenta de que seguía en Las Vegas pero sin ella, llegó el golpetazo. Le cayó con fuerza. Will el salvaje había cometido la mayor estupidez que podía cometer un hombre que quisiera empezar a vivir.

—Y entonces tú huiste de mí, Emily. E Izzy de Owen. ¿A qué diablos vino eso?

Ella se mordió el labio inferior.

—¿Cómo está Owen? Izzy tenía unos encargos de trabajo que debía cumplir. Pero prometió que lo llamaría en cuanto pudiera. Eh... ¿ha sabido Owen algo de ella?

—Le dejó un mensaje muy parecido al que me dejaste tú.

Emily ignoró la última parte del comentario.

—Me alegro de que se haya puesto en contacto con él. Izzy puede ser un poco… difícil para comprometerse.

—¿No como tú? —le preguntó él con sarcasmo.

Emily volvió a morderse el labio inferior.

—¿Qué puedo decir, Will?

—Puedes decirme qué pretendías conseguir dejándome colgado de esa forma.

Las manos de Emily se ocuparon en un fajo de papeles que había sobre el escritorio. Luego se dedicaron a ordenar los lápices y una taza que había cerca.

Entonces Will lo entendió.

—Es por lo de Danielle Phillips, ¿verdad? —dijo sacudiendo la cabeza—. Otra vez ese asunto…

Emily alzó la vista para mirarlo con la sorpresa reflejada en el rostro.

—Hace años que no pienso en Danielle Phillips.

—Pero es lo mismo. Solías evitar los temas poco agradables con la esperanza de que terminaran por desaparecer, ¿te acuerdas? Sabías que Danielle Phillips te estaba robando cosas de tu cabaña, de hecho encontraste tu collar favorito debajo de su almohada, pero tardaste una eternidad en hacer algo al respecto —Will la miró con desesperación—. Maldita sea, Emily, a estas alturas ya deberías saber que hay toros que debemos agarrar por los cuernos.

—Era mi collar favorito porque me lo habías regalado tú.

Y así de fácil, las tres cuartas partes del mal humor de Will se evaporaron.

Le había comprado el collar en el último verano que pasaron juntos como un regalo de cumpleaños tardío. No se trataba de algo muy original: un collar de plata colgado de una cadena a juego. Pero le había dado más vueltas que a ningún otro regalo, antes o después. Tenía sus nombres grabados detrás. Will y Emily.

Will sacudió la cabeza para liberarse de aquel recuerdo. No quería ser Will y Emily. Había sido Will y «algo» durante los últimos trece años. Will y sus hermanos. Will y las responsabilidades.

Ahora, Will a secas le sonaba muy bien. Y mejor todavía, Will el salvaje. Sin duda Emily estaría de acuerdo en que su rápido matrimonio debía terminar igual de rápido.

—Emily, yo...

—¡Will Dailey!

Al escuchar aquella voz familiar, Will cerró los ojos con la esperanza de poder evitar lo desagradable, como hacía Emily. Pero tenía trece años de práctica detrás y sabía que tanto si se trataba de una pila de ropa sucia o del depósito del coche vacío, la mayoría de las cosas no se solucionaban solas. Se giró para enfrentarse a su hermana Jamie, que se dirigía a él.

Llevaba de la mano a una niña como de año y medio, y en brazos sujetaba a un bebé que se mordía el puñito y babeaba por la manga de la camisa de su hermana.

—¿Tú en una biblioteca? —le preguntó Jamie acercándose.

Sin pedirle siquiera permiso, le colocó encima al bebé. Will aceptó el cálido bulto, ¿qué otra cosa podía hacer?, y permaneció impávido mientras Polly, el bebé, comenzaba a morderle el hombro en lugar de su propio puño.

—Me alegro de haberte encontrado —dijo su hermana—. No te hemos visto desde hace años y quería pedirte algo.

—No. Tengo trabajo.

Jamie frunció el ceño y se apartó de la frente un mechón de su cabello corto.

—¿Cuándo tienes trabajo? —le preguntó en tono suspicaz.

—Siempre que necesites canguro, o que te ayude a construir una valla, o a pintar el salón.

—Will...

El tono de lamento no iba a conmoverlo. ¿Es que no lo había captado? ¿No estaba escuchando? Le había dejado muy claro a todos y cada uno de ellos que, en cuanto su hermana pequeña se independizara, él se independizaría también.

—Estoy ocupado —reiteró dándole un beso al bebé en la cabeza antes de devolvérselo. El otro niño estaba sentado en el suelo, agarrando un libro con dibujos que le estaba dando la bibliotecaria.

La bibliotecaria. Emily.

—Estoy muy ocupado —le repitió a Jamie mirando de reojo a su esposa y afilando el tono de voz para que su hermana lo pillara. Tenía asuntos importantes que tratar con Emily.

Jamie lo pilló por fin. Miró a Emily y abrió los ojos de par en par.

—Oh —dijo extendiendo la mano—. Hola, soy la hermana de este tipo. Jamie. Jamie Scott. Este es mi hijo Todd, y el bebé es Polly.

Emily estrechó la mano de la joven.

—Encantada de conocerte. Soy Emily Garner. Soy la...

Oh, diablos. No podía. Si su familia se enteraba de lo que había hecho en Las Vegas, no le dejarían en paz.

—Es mi amiga —intervino Will mirándola con intención—. Mi vieja amiga Emily, de los campamentos de verano.

Jamie abrió los ojos todavía más.

—¿Emily la del campamento?

Will recordó demasiado tarde que tal vez le había hablado en un par de ocasiones a Jamie de ella. Era la mayor después de él, y cuando eran adolescentes estaban muy unidos. Más tarde Will adoptó un papel más paternal con Jamie, pero en alguna ocasión se había confiado a ella.

Sobre Emily.

—Esto es perfecto —aseguró la joven—. ¡Di que vendrás mañana por la noche! Será una reunión pequeña. Vivo solo a dos manzanas de aquí.

A Will no le hizo gracia adoptar el papel de aguafiestas.

—Emily acaba de mudarse aquí…

—Razón de más para presentarle a gente, ¿no crees? —Jamie le dio la espalda a su hermano—. ¿Qué te parece, Emily? Tiene que venir. Vas a venir, ¿verdad? Dime que sí.

—Bueno, yo… de acuerdo —dijo sintiéndose algo arrasada ante el huracán que era su hermana Jamie—. Supongo que…

—Entonces está hecho. Mañana por la noche. Seis en punto. Calle Orange número 632. ¿O será mejor que Will vaya a buscarte?

—Puedo ir sola —respondió Emily mirándolo de reojo—. Además, ha dicho que tenía trabajo.

—Eso lo veremos —Jamie sonrió y agarró a su hermano del brazo—. Vamos. Necesito tu ayuda.

Él se apartó.

—No he terminado aquí.

—Se trata del alzador del coche de Polly —insistió ella tirando con más fuerza—. Creo que no está bien colocado.

Will entornó los ojos.

—De acuerdo —gruñó entre dientes.

—Gracias —los hoyuelos de Jamie se hicieron más profundos—. Solo te llevará un minuto

Le llevó quince. La revisión del alzador fue rápida, pero luego tuvo que fingir que se resistía a sus intentos de convencerlo para que cenara en su casa la noche siguiente. Por supuesto que estaría allí. De ninguna manera iba a permitir que su mujer causara estragos entre sus familiares, aunque estaba seguro de que Emily había captado la idea de no correr la noticia.

Y todavía quedaba que ellos hablaran del asunto… Aunque tendrían que esperar al día siguiente, porque cuando regresó a la biblioteca le dijeron que Emily había entrado a una reunión que se prolongaría hasta después de la hora de cierre.

A Emily le resultó fácil localizar el 632 de la calle Orange. Era una casa agradable y llena de recovecos, con el césped bien cuidado y un columpio en el porche. Pero le costó trabajo encontrar cerca sitio para aparcar. Tuvo que llevar la tarta que había hecho durante más de una manzana, lo que le dio tiempo de sobra a su estómago para encogerse por los nervios. A nadie le resultaba fácil conocer gente nueva, se

dijo. Pero aquella era la gente de Will. Y eso lo hacía
más difícil aún.

Y mucho más interesante.

A juzgar por su actitud del día anterior, quedaba
claro que Will quería acabar con la relación que habían
formalizado en Las Vegas lo más rápidamente posible.
¿Acaso esperaba ella otra cosa, después de todo? Así
que aquella podía ser su última oportunidad para satisfacer su curiosidad respecto a él. ¿Cuánto había cambiado en los últimos trece años? Un par de días y noches fantásticas y unos cuantos bailes lentos no habían
contestado a todas sus preguntas. Saber más del adulto
que fue antaño su novio de verano podría facilitarle de-
jarlo atrás a él y a su impulsiva boda.

La puerta de la casa se abrió antes de que Emily
tocara el timbre. Una mujer joven de cabello oscuro
estaba al otro lado, una chica más joven que Jamie,
aunque se le parecía mucho.

—Emily —dijo con una sonrisa.

El alboroto de la gente reunida llegaba hasta el
umbral, y la joven alzó la voz para hacerse oír:

—Soy Betsy, la más pequeña de los Dailey. Jamie
me pidió que te cuidara. Soy la encargada de que pa-
ses un buen rato.

Cuando Emily entró en la casa, el clamor se convirtió en una combinación de voces y música rock.

—Estaré bien sola —protestó Emily aunque le
temblaron las rodillas al ver las docenas de personas
presentes en lo que Jamie había calificado de «pequeña reunión».

Betsy negó con la cabeza.

—Ya pareces estupefacta, y todavía no hemos empezado siquiera con las presentaciones de la familia.

—¿Familia? —repitió Emily. Sin duda toda aquella horda de gente, o podía ser toda familia.

—Sí, todos son familia —le confirmó Betsy agarrando una soda de un cubo de hielo y poniéndosela a Emily en la mano—. De una manera o de otra. Ya sabes que nosotros somos seis hermanos, ¿verdad? Se supone que esta noche vamos a estar todos, por no hablar de las parejas, los niños…

—Will me dijo que venía de una familia numerosa, pero…

Sus palabras quedaron interrumpidas por un afectuoso abrazo de Jamie.

—¡Estás aquí! ¿Se está ocupando Betsy de ti? ¿Necesitas algo más fuerte que una soda? ¿Has visto a Todd? —la última pregunta iba dirigida a un hombre que estaba removiendo la barbacoa con una espátula en la mano.

—¿Todd? —repitió como si el nombre no le sonara.

—Ya sabes, nuestro hijo —dijo Jamie entornando los ojos.

El hombre, probablemente su marido, extendió la mano para darle un pellizco bajo la barbilla.

—No te preocupes, está con Charlie —luego se giró hacia Emily con una sonrisa—. Hola, soy Ty. Eres la nueva, ¿verdad? Sal fuera a la barbacoa cuando los Dailey empiecen a volverte loca. Yo solo tengo cinco hermanos, así que sé lo intimidante que puede llegar a resultar esto.

Emily había sido hija única. Y sus padres también lo fueron. El hecho de que tanta gente pudiera ser familia tan cercana le resultaba chocante.

Cuando Ty y Jamie se fueron cada uno por una dirección, no pudo evitar agarrarse al brazo de Betsy.

—¿Will… Will va a poder venir? Y aunque sabía que eso no presagiaba nada bueno para el futuro que no iban a compartir, de pronto tuvo muchas ganas de verlo.

—Creo que más tarde sí. Tenía que cubrir medio turno en el parque de bomberos. Hay un virus por ahí. Ven —Betsy le señaló hacia el porche trasero, donde se estaba reuniendo la gente—. No tardarás mucho en conocerlos a todos.

Betsy era muy optimista. Había tanta gente en la fiesta, se movían tan deprisa y hablaban tanto que a Emily le costaba trabajo seguirles el ritmo. Y más todavía recordar sus nombres.

Sabía quiénes eran Betsy, Jamie y Ty. Charlie, el hermano de Ty, era el que tenía al niño en brazos. ¿O era el hermano pequeño de Will, Tom? Tom estaba con su novia, Gretchen, que se parecía mucho a la compañera de piso de Betsy, Chelsea. Tal vez Chelsea sintiera algo por Charlie, aunque tal vez Emily lo pensara solo porque sus nombres empezaban con la misma letra.

Luego había un Jack, un Max, dos Daves y un Patrick. Ah, y Alex. Dos de ésos eran hermanos de Will y los demás, antiguos compañeros de hermandad… o algo así.

Aparte de Chelsea, había otras mujeres: una Ann, una Helen y dos rubias cuyos nombres no fue capaz de retener.

Por no hablar de los niños que estaban jugando en la piscina.

Con la cabeza dándole vueltas, Emily siguió el consejo de Ty y escapó a la relativa tranquilidad de la barbacoa que él estaba atendiendo.

—Es una casa de locos, ¿verdad? —preguntó mirándola.

Emily se llevó la fresca lata de soda a la mejilla ardiendo.

—Soy bibliotecaria. Estoy tratando de controlar el impulso de ir por ahí mandando callar a todo el mundo.

Ty dio la vuelta a una hamburguesa con pericia.

—¿Te arrepientes de haber aceptado la invitación?

Emily negó con la cabeza.

—Hace poco le prometí a alguien que intentaría salir de entre las estanterías y vivir un poco.

—¿Ese alguien es Will?

—No —Emily esbozó una media sonrisa. No sabía si podía decirse que Will y ella fueran amigos ahora. Ni tampoco podía hablarle a Ty de la boda. Le había quedado claro el día anterior que Will no quería que hablara de ello.

—Will es más bien… —alzó la vista y se encontró con Ty observándola con más seriedad de la que cabía esperar. Emily alzó las cejas—. ¿Ocurre algo?

—Solo tengo curiosidad por la mujer que ha hecho que Will rompiera su promesa.

—¿Perdón?

—En junio nos dijo a todos que no contáramos con verlo en ninguna reunión familiar durante un largo periodo. Y sin embargo, aquí está —Ty señaló con la cabeza hacia las puertas de cristal.

Emily miró hacia atrás. Sí. Allí estaba. El corazón le latió con fuerza contra las costillas al verlo. Iba vestido con unos pantalones vaqueros desgastados, zapatillas deportivas y camiseta. Nada especial. Pero

¿no era lógico asombrarse ante cómo había crecido durante aquellos años? Tenía los hombros anchos y los antebrazos fuertes y cubiertos de un vello oscuro. Había una sombra de incipiente barba masculina en la parte inferior de su rostro.

En Las Vegas, Emily se había estremecido al sentir la erótica caricia de aquel velo en las mejillas y el cuello. La boca se le había cortado de tanto besarle la mandíbula. Ahora, Will recorrió con los ojos el patio de atrás, pero ella apartó la vista. No quería que la pillara mirándolo fijamente.

Las palabras de Ty volvieron a repetirse en su cabeza.

—Espera —le dijo—. ¿Por qué prometió evitar las reuniones familiares?

—Porque…

Una voz gruñó al oído de Emily.

—¿Se le ha olvidado a este tipo mencionar que está casado? —Will se acercó para darle un puñetazo cariñoso a su cuñado en el hombro.

—Eres un perro de caza.

—Eh, eh —replicó Ty—. No hace falta insultar. Emily necesitaba un respiro del caos del clan Dailey. Tú eres quien mejor puede entender eso.

—Sí, en eso tienes razón. Pero ahora estoy aquí. Emily, ¿quieres que te traiga…?

—¡Will! —Betsy llegó corriendo y le dio un fuerte abrazo—. Nunca llamas, nunca escribes…

Will puso los ojos en blanco y luego miró a Emily antes de girarse hacia su hermana.

—Creo que has crecido un metro desde la última vez que te vi, Betsy.

—Tienes que salir a ver mi coche nuevo —dijo

ella tirándole de una mano—. No sé cómo se abre el depósito de la gasolina.

—Cinco minutos —dijo Will ya sin protestar mientras lo arrastraban fuera—. Dame cinco minutos, Emily.

Fueron más de cinco. Primero fue el coche de Betsy. Luego su hermano Max quiso enseñarle su móvil bueno. Alex lanzó un reto con un videojuego que al parecer no podía ignorarse.

Si los Dailey fueran un sistema solar, resultaba obvio que Will sería el sol. Emily suponía que ésa era la prerrogativa del mayor de la familia. Era normal que, después de los padres, los hermanos se fijaran en el hermano mayor. Si el señor y la señora Dailey hubieran asistido a la fiesta, seguramente les habría tocado a ellos sentar a los nietos en las rodillas cuando terminó la cena. Pero en ausencia de los abuelos, que no sabía si vivirían en otro estado o estarían de viaje, le tocaba a Will sujetar al bebé y admirar las piruetas de bailarina de su sobrina.

Finalmente consiguió agarrar la mano de Emily cuando ella se disponía a ayudar a recoger la mesa.

—Lo siento, ¿estás bien?

—Muy bien —respondió Emily. Al ver al bebé adormilado en su hombro, se sintió algo mareado. ¿Y quién podía culparla? Seguro que eso estaba grabado a fuego en las mujeres de treinta y tantos. La prisa por tener pareja, la boda, el bebé.

Pero Will no era suyo. No lo era de verdad.

Y sin embargo la estaba mirando a los ojos, y parecía también algo mareado. La agarró de la mano.

—Emily —le acarició los nudillos con el pulgar y a Emily le subió un cosquilleo desde el brazo hasta el pecho. Se pasó el brazo libre por delante para que él no observara la instantánea reacción de sus pezones. Pero tal vez la vio igual, porque se le oscurecieron los ojos.

—Emily…

—¡Will, Will! —ambos se sobresaltaron, y también el bebé, al escuchar la voz de Betsy—. Ven al salón. No has visto el vídeo de mi graduación.

En lugar de mostrarse reacio, como la primera vez que su hermana reclamó su atención, ahora Will se dio mucha prisa. Emily le siguió más despacio y encontró un lugar en la parte exterior del reducido grupo que estaba reunido alrededor de la gigantesca pantalla de televisión.

—Vaya, he rebobinado demasiado —dijo Betsy con el mando en la mano—. Esto es de la boda de Jamie y Ty.

En la pantalla se veía a Will llevando a su hermana al altar. ¿Dónde estaba el señor Dailey? Emily lo había visto con su esposa cuando recogían a Will en el campamento. No entendía por qué ninguno de los dos salía en el vídeo. Su rostro debía de reflejar su confusión, porque Ty le dio un leve codazo.

—Me ha contado Jamie que Will y tú sois viejos amigos.

—Amigos de verano. Hasta que cumplimos los diecisiete.

—Entonces me pregunto si sabes lo que le ocurrió cuando tenía dieciocho años —Ty bajó el tono de voz—. Sus padres murieron. Después de eso, Will los crio a todos. Él solo. En todos los sentidos, ha sido padre durante los últimos trece años.

Oh, Will. Emily sintió un nudo en la garganta.

—Hasta la graduación de Betsy. Entonces se fue a Las Vegas, han sido las primeras vacaciones que ha tenido de verdad. Ha estado esperando todo este tiempo para convertirse por fin en soltero.

Aquellas palabras cuajaron lentamente en Emily. Bueno, ella era la que quería saber un poco más de él, ¿verdad?

Capítulo 3

EMILY decidió que tenía que marcharse. Necesitaba un poco de paz, algo de tiempo y cierta distancia para procesar lo que acababa de descubrir.

Will llevaba todo aquel tiempo esperando a convertirse en soltero.

Reculó sin que ninguno de los que estaban sentados alrededor de la televisión se diera cuenta y solo se giró al escuchar ruido en la cocina. Dobló rápidamente la esquina y vio a Jamie recogiendo las sobras.

—Quería darte las gracias —dijo Emily agitando la mano—. Creo que debería irme a casa.

—Todavía no hemos bailado. Ni tampoco he servido el postre —protestó Jamie—. Tu tarta tiene un aspecto delicioso.

—Espero que os guste. Pero… mañana tengo que madrugar.

La otra mujer torció el gesto.

—Te hemos asustado.

—¡No! —la familia de Will no la había asustado—. Sois encantadores. Pero mañana trabajo.

Le dio un abrazo a Jamie, y al ver que Will estaba absorto viendo el vídeo, decidió marcharse por la puerta de atrás sin despedirse.

El baile ya había dado comienzo en el porche. Estaba empezando a anochecer, y le valla del porche estaba decorada con lucecitas. Varias parejas bailaban.

—No estarás huyendo de mí otra vez, ¿verdad? —preguntó una voz a su espalda.

Emily dio un respingo.

—Por supuesto que no —mintió ella dando un paso atrás.

—¿Estás segura? —Will la estrechó entre sus brazos cuando una nueva balada comenzó a sonar a través de los altavoces.

Emily cerró los ojos cuando las grandes manos de Will la guiaron con el lento movimiento de la canción. Estaban otra vez en Las Vegas. El olor de su piel, el latir de su corazón contra el suyo, la idea de que era Will, su Will, quien la sujetaba, hacía que todas sus preocupaciones desaparecieran.

Will subió las manos para acariciarle el cabello, y ella se arrimó más, colocando la mejilla en el hueco formado entre el hombro y el pecho. Lo sentía muy sólido. Muy fuerte. Como si pudiera sostener el peso del mundo. El peso de una familia. Era lo que había estado haciendo durante los últimos trece años. Llevaba esperando todo aquel tiempo para convertirse por fin en soltero.

Y, sin embargo, ella lo estaba agarrando como si le

perteneciera. Forzándose a separarse unos centímetros, alzó la vista para mirarlo.

—Will, nunca me contaste lo de tu padre. Lo siento mucho.

Su movimiento se ralentizó un instante, y luego volvieron a llevar el ritmo de la música.

—Tardé mucho tiempo en creerme lo que había ocurrido.

—¿Y qué ocurrió?

—Un accidente de tráfico —Will se encogió de hombros—. Yo acababa de cumplir los dieciocho. Betsy tenía ocho. Todos los demás estaban en medio.

—Y se convirtieron en tu responsabilidad.

—Sí —volvió a encogerse de hombros con frialdad—. Yo pensaba ir a la universidad, pero después del accidente… Mi padre tenía un amigo que podía colocarme como bombero cuando terminara la academia después del instituto. Y eso hice. Fue duro, pero era la única manera de que los hermanos siguiéramos juntos.

—Debiste escribirme o llamarme.

Will ya estaba negando con la cabeza.

—¿Y qué ibas a hacer tú, Emily? Estabas a cientos de miles de kilómetros, y tenías diecisiete años.

—Pero…

—Me las arreglé, Emily. Me las arreglé bien yo solo.

Ella se tragó las palabras que tenía en la punta de la lengua. Quería decirle que le hubiera gustado haberlo sabido aunque solo fuera para mandarle unos pensamientos positivos. Pero al parecer, Will no quería nada de ella en aquel entonces. Después de todo,

¿qué habían sido el uno para el otro? ¿Un amor adolescente de verano?

Y sin embargo, le dolía el corazón al saber que no había pensado en ella durante todos aquellos años. Ignorando el dolor, compuso una sonrisa.

—Bueno, en cualquier caso parece que has hecho un gran trabajo. Tus hermanos son gente estupenda, Will. Pero deberías habérmelo contado en Las Vegas, Will —murmuró.

—¿Cómo?

—Debiste haberme contado lo de tu padre, lo de tu familia, todo por lo que has pasado.

Él dejó de mover los pies. El atardecer se había convertido en noche cerrada. Estaban en las sombras del alero.

—¿Y por qué diablos iba a contarte nada de eso?

—No lo sé —respondió ella apoyando los hombros en el muro de la casa—. Es algo bastante importante en la vida de una persona.

—¿Así que crees que debería ir por ahí abriéndole mi corazón a todas las mujeres bonitas que conozco? —en su tono de voz había un rastro de irritación—. ¿Crees que necesito compasión para generar interés?

—No, no se trata de eso. Pero cuando quieres llegar a conocer a una mujer, construir una relación…

—No me interesa «llegar a conocer» a las mujeres. No quiero ninguna relación. Al menos en el sentido que tú crees. ¿Te das cuenta de que cuando los chicos de mi edad salían por ahí a ligar y asistían a fiestas, yo estaba en mi casa celebrando fiestas infantiles y tirando de la piñata? —su voz resultaba ruda. Estaba claro que había tocado un punto delicado.

—De acuerdo, pero llegará un momento en el que...

—Ahora es ese momento, Emily. Mi momento. No necesito una relación que me ate. Dios, ya he estado ahí, ya lo he hecho. He lavado todas esas camisetas. Y las sábanas, y tres mil pares de calcetines.

Emily se hubiera reído si Will no hubiera estado tan serio.

—De acuerdo, de acuerdo. Lo entiendo.

Will emitió un sonido de disgusto y se dio la vuelta.

—Tú no entiendes nada —entonces volvió a girarse y la estrechó contra sí—. Y si es así, explícamelo. Porque yo no entiendo esto.

La boca de Will se cerró sobre la suya.

A Emily le dio un vuelco el corazón, abrió los labios, y cuando su lengua se deslizó dentro de su boca, se puso de puntillas para estar más cerca de él. Le echó un brazo al cuello y le pasó el otro por la cintura, apretándolo contra su pelvis.

Will tenía el cuerpo ardiente, la parte de su ser que estaba apretada contra el estómago de Emily resultaba dura e insistente, y ella se apretó con más fuerza contra él. Deseaba fricción. Cercanía. Deseaba a Will.

Él deslizó la mano hacia su costado y cerró los dedos sobre su seno. Emily gimió de placer, y entonces le llegó un poco de oxígeno al cerebro, lo que hizo que se diera cuenta de dónde estaban.

Y de qué estaban haciendo.

Y por qué no deberían estar haciéndolo. Will había esperado trece años para estar soltero, para disfrutar de su momento, ir a fiestas y liarse con otras mujeres que no fuera, como ella, su esposa.

Emily emitió un sonido de agobio y dejó de besarle. Will dejó caer al instante los brazos, pero ella salió corriendo. Aunque ya era demasiado tarde. Emily temió que fuera demasiado tarde para huir de él.

La casita tenía forma de cabaña, pintada de beis y con la puerta en verde musgo. Will se quedó mirando la minúscula ventanita que hacía las veces de mirilla. Al otro lado no había unos ojos azules observándolo, aunque había llamado a la campana, con los nudillos, y otra vez a la campana.

Se golpeó los dedos en el muslo con gesto de frustración. No se le había ocurrido pedirle el teléfono en la fiesta de Jamie y Ty. Por eso regresó a la biblioteca, donde le dijeron que Emily no estaba en su puesto. Según su jefa, había llamado para decir que estaba enferma. Había necesitado de un par de días y de todo su encanto, por no mencionar el uniforme de bombero, para conseguir que la anciana dama se rindiera y le diera la dirección de Emily.

Pero o bien estaba tan enferma que sufría pérdida de audición o lo estaba evitando.

¿Se trataría de lo último? ¿Había alguna razón para que estuviera tan deseosa como él por romper el lazo que habían atado en Las Vegas? Esperaba que no fuera así, porque su plan era encargarle la tarea de averiguar qué pasos eran necesarios para que consiguiera el divorcio, la nulidad o lo que fuera. Después de todo, ella era la bibliotecaria.

Y él era un soltero con una misión, se recordó golpeando una vez más la puerta con el puño. Un soltero con la misión de vivir como un soltero. Su precipitado comportamiento en Las Vegas ya le había llevado a romper su promesa de mantenerse alejado de la familia. Ahora necesitaba romper la relación con Emily antes de sufrir consecuencias no deseadas.

Al ver que seguía sin obtener respuesta, sintió un escalofrío de incomodidad. Por suerte llevaba puesto el uniforme del cuerpo de bomberos, así que saltó la valla baja que rodeaba la casa y se dirigió al jardín de atrás. La puerta trasera estaba abierta. Cuando miró dentro, hacia lo que parecía ser un estudio minúsculo, vio una figura curvada en un sofá de dos plazas.

—¿Emily? —la figura se movió y luego volvió a quedarse inmóvil. Will entró y se agachó al lado del sofá, apartándole el cabello de la cara para verle la cara. Estaba muy pálida.

Emily abrió los ojos muy despacio. Eran una versión descolorida de su azul habitual.

—Vaya. No estoy en el cielo.

—¿Cómo? ¿Es que parezco el diablo?

—No —murmuró ella adormilada—. Pero confiaba despertarme en un lugar mejor.

Will se sentó en la alfombra que cubría el duro suelo y le acarició el cabello para espabilarla de nuevo.

—Estás enferma de verdad, ¿no es cierto?

Emily mantuvo los ojos cerrados.

—¿A los bomberos les gusta posar medio desnudos para calendarios solidarios?

—¿Cómo?

—Tú deberías saberlo. Izzy dice… Dice que tienes un cuerpo increíble.

—¿Cómo?

Emily abrió los ojos de par en par. Parpadeó.

—No estoy soñando. Estás aquí de verdad.

—Sí.

Se lo quedó mirando un instante. Luego volvió a cerrar los ojos, como si le pesaran mucho las pestañas.

—Vete.

—No puedo.

—Estoy enferma.

—He estado rodeado de docenas de portadores de la gripe de los bomberos. Me atrevería a decir que es lo que tú tienes, pero yo no me he contagiado. De hecho, es probable que fuera yo quien estuviera expuesto al virus en primera instancia.

Emily volvió a mirarlo.

—Entonces te odio. Márchate.

—¿Sabes? —dijo Will apoyando el codo en el cojín del sofá—, dicen que los hombres son unos pacientes terribles, pero según mi experiencia, las chicas son mucho peor. Cuando estaba enferma Jamie nos volvía locos a todos con su mal carácter. Betsy no se quejaba, pero insistía en que le tomara la mano todo el tiempo que permanecía en cama.

—Yo no quiero que me tomes de la mano cuando estoy en la cama.

Si estaba en la cama… pero no, no iba a ir por ahí ni siquiera con la mente, pensó Will. Se aclaró la garganta.

—¿Puedo traerte algo?

—No.

—No puedo irme como si tal cosa —le remordía la conciencia—. Le prometí a tu jefa que te echaría un vistazo a ver cómo estabas.

—Pues ya lo has visto. Y ahora, por favor, déjame sola.

Era una perversión por su parte, Will lo sabía, pero cuanto más trataba Emily de apartarlo de allí, más obcecado se mostraba en quedarse. Al menos hasta que pudiera hacer algo por ella.

—¿Qué tal el estómago? —le preguntó.

—Creo que me quedé sin él anoche. De hecho, confío en que haya sido así.

—¿Y desde entonces ha estado tranquilo? —Will se tomó el movimiento de cabeza como un sí—. Entonces necesitas líquidos. Agua. Bebidas isotónicas.

Sin esperar respuesta, buscó el camino hasta la cocina. Encontró una versión hipocalórica de un refresco isotónico. Eso serviría.

Cuando regresó, Emily no protestó mucho cuando la ayudó a sentarse y le llevó la botella a los labios. Trató de sostenerse, pero terminó completamente apoyada en él y bebiendo a grandes sorbos.

—No tan rápido —murmuró Will apartándole el cabello de la cara y preguntándose cuántas veces habría hecho eso mismo por alguno de sus hermanos—. Tómatelo con calma.

Tras dar unos cuantos sorbos más, Emily se declaró preparada para ir al baño. Un grito callado en el pasillo hizo que Will se levantara a toda prisa para recorrer los escasos metros que los separaban. La encontró mirando horrorizada su reflejo en el espejo. Emily se cruzó con su mirada por encima del lavabo.

—He muerto y el infierno es que tengas que verme con este aspecto —la mano de Emily señaló el salvaje estado de su cabello, completamente despeinado.

Will sonrió.

—Cuando una mujer se preocupa por su peinado o

por el tamaño de su trasero, entonces es que se siente mejor.

—Más tarde me voy a sentir insultada —dijo ella con voz débil—, pero ahora mismo no tengo energía.

Will disimuló una sonrisa, abrió la mampara de la ducha y abrió el grifo.

—Guarda tus fuerzas para el agua y el jabón. Te vas a sentir un cincuenta por ciento mejor cuando salgas.

—No me conformaré con menos de un ochenta y cinco.

—Sesenta.

—Ochenta

—Sesenta y cinco.

—Pesimista —murmuró Emily mientras él salía al pasillo y cerraba la puerta.

Incluso estando enferma le hacía sonreír.

Se alegró de que no tardara mucho. La idea de tener que entrar a rescatarla allí dentro, desnuda y húmeda, no le resultaba tan indiferente como debería. Cuando Emily abrió la puerta del baño, él la estaba esperando cerca con la espalda apoyada en la pared. Se quedaron mirándose durante un largo instante. Emily llevaba el cabello húmedo apartado de la cara. Olía a champú dulce y a pasta de dientes de menta, y la palidez había sido sustituida por un sonrojo, supuso Will, provocado por el agua caliente. El tono rosa descendía desde las mejillas hasta el cuello y seguía bajando por la parte del escote que dejaba expuesta el albornoz, firmemente atado. Emily se humedeció los labios con la punta de la lengua. Se había puesto algo, porque antes estaban mortecinos y ahora brillaban.

Will apartó la vista y se separó de la pared.

—He hecho un poco de sopa que encontré en el armario. Y hay galletas saladas. ¿Dónde te lo sirvo?

—Yo no… —comenzó a decir dando un paso adelante. Pero entonces se tambaleó y tuvo que agarrarse al marco de la puerta.

Will le pasó el brazo por la cintura.

—Vamos a la cama.

El suspiro que le surgió del cuerpo fue la única respuesta que necesitaba. En cuestión de minutos estaba dentro de unas sábanas de flores y Will le colocaba en el regazo una bandeja con sopa y galletas. Emily murmuró las gracias y luego alzó la vista.

—Ahora tienes que irte.

—Me iré cuando…

—No soy una de tus cargas. No soy responsabilidad tuya.

Will sintió una oleada de irritación. Y tal vez media dosis de culpa.

—Vaya, Emily, tu agradecimiento me desborda.

Ella apretó los labios.

—Oféndete si quieres. Pero oféndete fuera de mi casa.

—Lo retiro —dijo él torciendo el gesto—. Te pareces más a Jamie que a Betsy.

—Es que… después de todo lo que has hecho por los demás, no te mereces que te carguen con el cuidado de otra persona.

Para Will no era una carga. Era más bien como… Diablos, no sabía cómo. Pero Emily tenía razón. Ella no era responsabilidad suya y no quería que lo fuera. Dirigió sus pasos hacia la puerta.

—De acuerdo entonces. Pero deberías llamar a alguien.

—Llamaré a Izzy.

—¿Puede venir desde donde esté para asegurarse de que te encuentras bien?

—Ya te he dicho que no necesito que me cuiden —aseguró Emily negando con la cabeza.

—Ya sé que tus padres viven al otro lado del estado, pero podrías llamarlos. Tal vez tu madre pueda quedarse unos días.

—Oh —una extraña expresión cubrió el rostro de Emily—. No. Mis padres han fallecido.

—¿Qué? ¿Cuándo? —Will recordó que estaba muy unida a ellos cuando era niña.

—Mi padre sufrió un ataque al corazón cuando yo tenía veinticinco años. Yo me quedé a vivir con mi madre en nuestra casa durante los siguientes años. Tuvo un par de ataques hace unos ochos meses. Y el último… Bueno, el último fue el último.

—Lo siento, Emily —dijo Will.

—Entonces fue cuando decidí mudarme —continuó ella—. Tenía que alejarme de todos esos recuerdos y empezar de nuevo en otro sitio.

Eso significaba que estaba lejos de todo lo que le resultaba familiar, pensó Will. Y que no conocía a nadie en aquella parte del estado, excepto a él.

No tenía a nadie más que a él.

Su marido.

Diablos.

Tal vez otro soltero habría apartado de sí aquel pensamiento al instante. Tal vez otro hombre hubiera sacado el tema, aunque estuviera enferma, y le habría dicho que tenían que divorciarse a toda prisa.

Pero él no podía hacerlo. Si se separaba de Emily en aquel momento, la dejaría completamente sola. Si no hubiera estado él, ¿quién se habría interesado al ver que no aparecía en el trabajo?

Will apretó los puños y metió las manos en los bolsillos para ocultar su frustración. No habría ningún divorcio rápido ni ninguna nulidad. Por el momento no. No podía romper los lazos con Emily hasta que le encontrara un grupo de amigos, un círculo de gente buena con el que pudiera dejarla para siempre… y con la conciencia tranquila.

Capítulo 4

EMILY regresó al trabajo y volvió a sentirse ella misma de nuevo a mediados de la semana siguiente. No había vuelto a saber nada de Will desde que acudió aquel día a su rescate. Pero en cuanto descolgó el teléfono que sonaba reconoció al instante la voz que se escuchaba al otro lado de la línea.

—¿Podría decirme la bibliotecaria cuál es la actividad más popular de los viernes por la noche en el condado de Ponderosa? —preguntó.

—Esta bibliotecaria se divierte hincándole el diente a su pila de libros sin leer —respondió Emily.

—No he tenido ni un minuto esta semana gracias a una segunda oleada de gripe entre los miembros del cuerpo de bomberos, pero quería…

—Hablar conmigo, lo sé —lo interrumpió Emily—. Yo también quería ponerme en contacto contigo.

Will tenía razón respecto al asunto de Danielle

Phillips. Emily tenía la costumbre de cerrarse como una ostra para tratar de ignorar los asuntos desagradables o incómodos con la esperanza de que así desaparecieran. Pero esconder la cabeza bajo la arena, en su casa, bajo las estanterías de libros, no iba a solucionar lo que habían provocado el sol de Las Vegas y el exceso de mojitos.

Se quitó el bolígrafo que tenía detrás de la oreja y sacó una libreta.

—Está claro que yo soy la más adecuada de los dos para encontrar el mejor modo de…

—Ahora no tengo tiempo para eso —dijo de pronto Will. Emily escuchó a través del teléfono la sirena de alarma—. Tenemos un aviso, así que debo darme prisa. ¿Quieres venir conmigo mañana por la noche al partido de fútbol americano del instituto de Paxton?

—Bueno, yo… —lo cierto era que tenía pensado pasarse la tarde del viernes leyendo.

—Escucha, Emily, tengo que colgar. ¿Quedamos a las seis en punto? Te recogeré en tu casa.

Y antes de que ella pudiera hacer algo más que tartamudear, Will colgó el teléfono.

Emily se quedó mirando el aparato. Aquella conversación había sido demasiado precipitada y poco satisfactoria. Como su matrimonio.

La sangre se le subió a las mejillas ante aquella idea. Debería agradecer que no hubieran consumado su mala decisión en lugar de quejarse de ello. Y sin embargo… Cerró los ojos y recordó cómo se había sentido entre sus brazos en la pista de baile en Las Vegas. Recordó el aroma cálido y masculino de su cuello cuando ella colocaba la cara allí, la impronta de sus manos grandes en la espalda y, algo más abajo, la inconfundible cresta que notaba contra el vientre cuando se movían al unísono.

Apretando el teléfono con fuerza, apartó de sí aquellos pensamientos del pasado y prometió concentrarse en descubrir lo que había que hacer para poner fin a su impulsivo error. El viernes por la noche, lo primero que haría sería presentarle sus hallazgos.

De acuerdo, no iba a poder ser lo primero que hacía, pensó Emily cuando se encontró aplastada entre Will y su hermana pequeña en el asiento delantero de su camioneta. Betsy había insistido en dejarle el sitio más cercano a su hermano.

—Me alegro de volver a verte —dijo la joven—, aunque siento haberme plantado en tu cita.

—Oh, nosotros no… —Emily no terminó la frase.

Explicar que solo estaban juntos para hablar de su divorcio no era seguramente un tema que Will desearía que sacara con su hermana pequeña.

Y además habría sido mentira, pensó Emily mientras se abrían paso entre la multitud de espectadores. Betsy fue en una dirección mientras que Will fue reclamado por un grupo que había renunciado a los asientos y que les hizo un hueco en una manta de lana. Sentada pierna con pierna y brazo con brazo a un lado con Will y al otro con un completo desconocido, Emily supo que no tendría oportunidad de tratar de asuntos serios.

El hombre que tenía al lado le tendió la mano.

—Patrick Walsh —dijo con sonrisa amable—. Deja que adivine. Has conocido a Will en Roady's. ¿O ha sido en ese bar nuevo de Chestnut?

Emily parpadeó. ¿Tenía aspecto de ser una chica a la que se recogía de un bar?, se preguntó.

—No, yo… Verás, nosotros nos conocimos hace mucho tiempo.

Patrick se rio.

—Ya lo pillo. Yo también he pasado alguna de esas noches laaargas. Estabas un poco alegre y no consigues recordar dónde fue la primera vez que saludaste a nuestro Will, ¿verdad?

—¡No!

No es que tuviera nada en contra de las noches de juerga ni nada parecido, pero Emily llevaba una vida mucho más tranquila, exceptuando aquellos locos días en Las Vegas.

—Soy bibliotecaria.

—Oh —Patrick se quedó muy quieto y luego se movió ligeramente para poner algo de distancia entre sus piernas.

Emily pensaba que no se hubiera mostrado más sorprendido, ¿o estaba alarmado?, si hubiera dicho que era una asesina en serie. Suspiró. Cualquier referencia a los libros provocaba reacciones parecidas en cierto tipo de personas.

El hombre le dirigió una media sonrisa.

—Es que no creí que Will estuviera en un momento en el que se sintiera atraído por mujeres que… que leen.

Emily ignoró la pequeña llama de molestia que se encendió en ella.

—¿Y qué momento es ese, exactamente? ¿Y a qué se dedican normalmente las amigas de Will?

—No pienso ir por ahí —aseguró Patrick levantando las manos en gesto de rendición—. Pero es que en los viejos tiempos solíamos llamarle Will el salvaje, y va por ahí diciendo que quiere volver a reclamar el título ahora que Betsy…

—Se ha graduado y se ha ido de casa —terminó Emily por él—. Ya lo sé.

Pero lo que no sabía era que le habían puesto aquel mote. El Will de su pasado era un chico bronceado, el mejor nadador, el más rápido en la canoa, el chico que sabía de verdad cómo utilizar una brújula.

Entonces… ¿eso de Will el salvaje…?

Emily miró de reojo hacia el otro lado y vio al hombre en cuestión sumido en una profunda conversación con alguien que estaba sentado delante de él.

—¿Cuándo le llamaban así? —le preguntó Emily a Patrick—. Y ¿por qué?

—Fue en el instituto —respondió el hombre con una sonrisa nostálgica—. ¿Querías gastarle una buena broma a un amigo? Will era el tipo para llevarla a cabo. ¿Buscabas una travesura para toda la clase? Él tenía docenas de ideas para volver loca a la dirección. Un año robó los birretes y las túnicas de la graduación y las retuvo durante toda la hora de la comida. La idea fue suya.

—Ah, bueno —eso sonaba lo suficientemente indefenso y muy propio del Will inteligente que ella había conocido en el campamento de verano.

—Y luego, por supuesto, estaba su éxito con las damas —continuó Patrick exhalando un suspiro melancólico—. Carne de leyenda.

—¿Carne de leyenda? —Emily miró una vez más de reojo a Will, pero él se había dado la vuelta para agarrar una de las golosinas que estaban pasando en una caja.

—Oh, sí. La jefa de las animadoras antes de que supiera siquiera conducir. Al año siguiente fue la sexy editora del anuario. Y luego estaban las gemelas a las que llevó al baile de fin de curso. Se decía que tenía apuntados en una libreta negra los códigos de alarma de las casas de una docena de chicas.

—¿Códigos? ¿Una docena de chicas?

—Ya sabes, para poder colarse en sus dormitorios por la noche.

¿Una docena de chicas?

—No tenía ni idea —dijo Emily con voz algo trémula.

—Era un chico malo, nuestro Will el salvaje —confirmó Will—. La envidia de los chicos y el objetivo de las chicas.

Emily estaba tratando de asimilar toda aquella información cuando Will se inclinó hacia ellos para introducirse en la conversación.

—¿De qué estáis hablando vosotros dos? —preguntó lanzándoles una mirada penetrante—. No estarás ligando con ella, ¿verdad, Patrick?

—No, Will —protestó el otro—. De ninguna manera.

Will se concentró en el rostro de Emily.

—Entonces, ¿por qué está tan… tan… disgustada?

—No estoy disgustada —se escuchó un cañonazo que anunciaba el principio del partido, y todo el mundo dirigió su atención hacia el campo, incluidos, gracias a Dios, Patrick y Will.

Ella no estaba disgustada.

Pero tenía tiempo de sobra para intentar averiguar qué le pasaba, ya que nunca había sido una fanática del fútbol americano.

Will, su Will, ¿había sido un chico malo desde septiembre hasta junio? Entonces, ¿cómo era posible que, cuando llegaba el campamento de verano, fuera el novio dulce, atento y cariñoso que ella recordaba?

Ni una sola vez había intentado sonsacarle ningún código que le proporcionara acceso a su cama. Aunque se besaban con frecuencia y a veces con bastante pasión, nunca la había presionado para ir más lejos.

Tal vez porque cuando empezaba el colegio de nuevo tenía toda la diversión que necesitaba.

Emily le dirigió una mirada asesina, pero él estaba concentrado en el partido. Seguramente porque en su tiempo fue muy buen jugador, pensó. Y no solo de fútbol, al parecer.

Entonces, ¿a qué Will había conocido en Las Vegas? ¿Al dulce chico de los veranos o al granuja?

Sintiéndose otra vez molesta, Emily se cruzó de brazos y se giró ligeramente para observar su bello perfil. Antes de divorciarse, decidió, quería averiguar con cuál de ellos se había casado.

Betsy tenía quién la llevara a casa. Will se alegró de escuchar aquello, pero eso le dejaba a solas con Emily después del partido. Algo no iba bien y estaba decidido a llegar hasta el fondo de la cuestión, así que iba a tomar el camino más largo para llevarla a su casa y así tendría la oportunidad de averiguar por qué estaba de tan mal humor. Poco después de que empezara el partido se había quedado completamente quieta y así había seguido. Ésa no era manera de hacer nuevos amigos. Y una Emily con amigos era su camino hacia la libertad.

Will se inclinó hacia delante y subió la calefacción porque la atmósfera de la camioneta resultaba decididamente fría. No se parecía en nada al camino de ida al estadio del instituto, cuando el perfume de Emily se le había filtrado por las fosas nasales y sentía su calor cerca de él. Ahora estaba apoyada en la puerta del asiento del copiloto, tan pegada a ella como lo había estado de él durante el partido, sentada entre Patrick y él.

Patrick.

Recordó entonces que había estado hablando con él antes de que empezara el partido. Maldición. ¿Habría dicho o hecho algo su amigo que la hubiera ofendido?

—Es inofensivo —se atrevió a decir mirándola, aunque no podía distinguir su expresión porque el camino estaba demasiado oscuro—. Me refiero a Patrick. Haya dicho lo que haya dicho, no tiene ninguna importancia.

—¿Le estás llamando mentiroso compulsivo?

—No, por supuesto que no. Solo digo que no ofendería a nadie a sabiendas. ¿Te ha dicho alguna grosería?

—No.

—De acuerdo —Will respiró con más tranquilidad—. Bien. Es que esta noche te encuentro un poco… no sé, baja de moral.

«Contente, Will», se dijo a sí mismo. Emily había estado enferma hacía poco y aquella noche había aterrizado en medio de un grupo de desconocidos para ver un estridente partido de fútbol. Tendría que haber pensado en una idea mejor para presentarle gente nueva.

—Seguramente esté actuando de forma exagerada —dijo Emily.

¿Actuando de forma exagerada? Will volvió a mirarla. ¿Actuando de forma exagerada respecto a qué? Si Patrick no le había dicho nada ofensivo, entonces tenía que haber hecho algo para que se sintiera insultada. Will agarró con fuerza el volante mientras el calor le subía por la espina dorsal. ¡Maldición! Estaban sentados demasiado juntos, como sardinas en lata, y Patrick había tenido la oportunidad de tocar a Emily de alguna manera.

La Emily de Will.

Pensar que otro hombre pudiera poner las manos encima de su piel cremosa, o siquiera sobre la tela que cubría su piel cremosa, hizo que apretara con más fuerza el volante.

—Le romperé todos los dedos. Te lo juro, cariño. Haré que se arrepienta del día en que…

—¿En que me puso al día de tu mala reputación cuando eras un muchacho?

—¿Cómo?

—Ha sido un poco desconcertante descubrir que el chico que yo recuerdo de aquellos veranos se pasaba el año escolar colándose en las habitaciones de las chicas.

—Vaya.

Al distinguir un cruce conocido más adelante, Will renunció a seguir con aquella conversación hasta que giró la camioneta a la derecha. Un camino de tierra lo llevó hasta un grupo de tilos que crecían al lado de los restos de una cuadra en ruinas. Aquel lugar era conocido como el Sendero de los Amantes, pero no le pareció el momento más adecuado para comentárselo a Emily.

Cuando echó el freno y apagó las luces, se giró para mirarla.

—Y ahora dime, ¿qué es todo eso de colarme en los dormitorios de las niñas?

La tenue luna no iluminaba el rostro de Emily, pero la había visto con suficiente claridad durante el partido de fútbol. Había cambiado muy poco a lo largo de los años. El tiempo únicamente había afilado el delicado borde de su mandíbula. Seguía teniendo los mismos ojos grandes, las cejas suaves y aquel labio inferior carnoso que siempre parecía a punto de hacer un puchero.

—No importa —dijo entonces ella—. Realmente no tengo motivos para que me moleste tu libreta negra.

—¿Mi libreta negra? —Will tuvo que reírse—. No tengo ninguna libreta negra.

—¿Cuando estabas en el instituto tampoco? ¿Con los códigos de alarma de tu harén de adolescentes?

—Cielo Santo —dijo Will mitad divertido mitad molesto—. ¿Ésa es la historia que va contando por ahí Patrick? Lo próximo que te dirá es que tengo un buey azul también.

—No, solo una cita con un par de gemelas para el baile de fin de curso.

—Oh.

—Ah —Emily se revolvió en el asiento y Will pudo sentir el calor de su mirada—. ¿Llevaste a dos chicas al baile?

Will se cubrió la boca con la mano para ocultar una sonrisa.

—¿Si te digo que eran mis primas, me creerías?

—No.

—Oh —volvió a repetir él.

Tras un breve instante, Emily le sorprendió completamente soltando una risotada.

—Will, ¿de verdad fuiste al baile de fin de curso con un par de gemelas?

—Lo hice por nosotros, cariño.

Ella volvió a reírse.

—Vamos, no me tomes el pelo.

—Es en serio. Por supuesto que quería ir al gran baile, pero pensé que, si llevaba a las gemelas Wilson no me pondría en ninguna situación comprometida ni sucumbiría a la tentación cuando solo faltaban un par de semanas para que volviéramos a estar juntos. Danita y Danica se vigilaban como perros de presa. Ninguna de las dos podía hacer el más mínimo movimiento sin que la otra se lanzara sobre ella.

—Suena encantador —respondió Emily.

—Sí, tienes razón —admitió Will—. El encanto no era uno de sus… encantos. Sin embargo, me marché del baile sin besar a nadie. ¿Tú puedes decir lo mismo?

—Mi instituto no celebraba baile de fin de curso —aseguró Emily colocando las piernas contra el pecho y abrazándolas.

—Ya sabes a lo que me refiero, Emily —Will se pasó la mano por el pelo—. No nos hicimos ninguna promesa respecto a lo que hacíamos o dejábamos de hacer durante el año escolar. Admito que tuve momentos con otras chicas, igual que tú hiciste seguro con otros chicos.

Se hizo un silencio extraño al otro lado del asiento.

—¿Emily?

—Así que eras todo un portento —dijo ella—. ¿La jefa de animadoras antes de saber siquiera conducir? Y luego las gemelas, por no mencionar a la editora del anuario.

—Emily…

—Oh, olvídalo —Emily hizo un gesto con la mano en su dirección y soltó una breve carcajada—. No entiendo ni por qué he sacado el tema. Eso fue hace años. ¿A quién le importa lo que hicieras durante el curso… o lo que yo pensaba que no hacías?

—Bueno, no creo que tú estuvieras de septiembre a junio sentada en tu casa suspirando por mí…

Will se calló cuando por fin entendió el lenguaje de su cuerpo tenso.

—Oh. Oh, Emily.

Ella volvió a hacer un gesto con la mano para quitarle importancia al asunto.

—No te sientas tan halagado. Seguramente estaba buscando una excusa para quedarme en casa leyendo. Ya por entonces estaba enganchada a los libros. Creo que la razón por la que mis padres mi enviaban a esos campamentos de verano era para que sacara la nariz de las novelas y me diera un poco el sol —Emily suspiró—. Era una ñoña.

Will entornó los ojos.

—¿Una ñoña?

—Cursi. Estúpida. Sentimental. Mientras tú andabas por ahí saliendo con animadoras y con gemelas, yo estaba sentada en mi casa pensando que teníamos algo especial.

—Teníamos algo muy especial.

—Gracias, pero ahora soy una mujer adulta. No es tan grave darme cuenta de que, mientras yo me ahogaba en el mar del amor adolescente, tú patinabas sobre sus aguas.

—Emily —Will se giró para acercarse más a ella—. Yo no patinaba. Estaba allí mismo contigo, con el agua peligrosamente cerca de mi cabeza. No sabes cuánto pensaba en ti. Cuánto te deseaba.

Aunque no podía ver la expresión de Emily en la oscuridad, podía sentir su desconfianza.

—Nunca pareció que... perdieras el control, o que tuvieras interés en ir más allá —aseguró.

—Porque tenía miedo de asustarte —respondió Will—. Sí, en apariencia tenía un poco más de experiencia que tú en los besos, pero emocionalmente me hacía mil nudos cuando te tenía cerca.

—¿De veras? —esta vez Will percibió un tono sonriente en su voz—. Yo también. Cuando me tomabas de la mano, el estómago se me volvía del revés.

—El corazón me latía a veces con tanta fuerza que creía que podrías verlo salir de mi pecho como en los dibujos animados —Will se acarició el esternón en recuerdo del niño enamorado que había sido—. Y para que lo sepas, mis... experimentos con otras chicas era algo que hacía por nosotros, Emily.

—Eso ya lo has dicho antes —la voz de Emily resultó seca—. Perdona que me cueste un poco digerirlo.

—De veras. ¿Recuerdas cuando te enseñé a besar con lengua? No lo saqué de un manual de los Boy Scout, ¿sabes? La editora del anuario tenía bastante experiencia y lo que aprendí con ella sirvió para que tu experiencia fuera mucho más placentera.

Emily dejó escapar una media carcajada.

—Dime que no pensaste eso en aquel momento... Y que no lo piensas ahora.

Pero lo cierto era que, en cierto modo, así había sido. De acuerdo, tal vez eso le hiciera parecer un arrogante, pero nunca olvidaría la primera vez que sujetó el dulce rostro de Emily entre las manos y le susurró a los labios: «Ábrela. Abre la boca».

Y entonces, sin pensárselo dos veces, se deslizó por el asiento de la camioneta y volvió a hacerlo, acunándole la mandíbula en las palmas. Emily parpadeó y él sintió el aleteo de mariposas en las yemas de los dedos índices.

El corazón de Will comenzó a latirle con fuerza contra las costillas cuando se acercó más. El perfume de Emily inundaba el aire, mareándolo con su dulzura cuando sus labios rozaron los suyos.

—Ábrela —susurró repitiendo la antigua lección—. Abre la boca.

Cuando ella lo hizo, salió una bocanada de aire cálido, y entonces Will se deslizó en su interior solo lo justo para rozarle la punta de la lengua con la suya. La respiración de Emily se hizo más agitada, y Will sintió un nudo en el estómago, como si volviera a ser otra vez un muchacho ansioso, con miedo, sin aliento y apasionado.

Solo con Emily había sido así. Era un fuego especial, dulce, que se apoderaba de él robándole el sentido común, la cautela, y todas las promesas de futuro que se había hecho a sí mismo.

Resultaba muy difícil pensar en ese futuro cuando el pasado se apoderaba tan fácilmente de él.

Capítulo 5

LA tienda de decoración local tenía todo lo que Emily necesitaba, o eso suponía ella, si supiera qué era lo que necesitaba. Por todas partes había ayudantes vestidos con delantales de carnicero, pero cada vez que intentaba llamar la atención de alguno de ellos, los perdía ante un cliente más enérgico que ella. Al parecer, el sábado por la tarde era el momento más popular para ir de compras.

Emily consultó el manual de «hágalo usted mismo» que había sacado de la biblioteca y luego se quedó mirando la ingente cantidad de objetos desconocidos y productos que se abrían ante ella. No había necesidad de dejarse llevar por la autocompasión, se dijo.

Giró el cuello para ver si alguno de los empleados de la tienda había quedado libre, y su mirada se deslizó sobre los demás clientes que estaban en la fila. Había dos tipos cubiertos de polvo y calzados con botas altas que parecían estar allí para recoger el material de construcción que les faltaba para la obra en la que estaban trabajando. Tres parejas que examinaban las estanterías hombro con hombro. Y más allá había un padre joven y atractivo que cargaba con su hijo pequeño al hombro mientras compraba.

Emily sintió una punzada en el corazón al darse cuenta de que todo el mundo parecía contar con alguien.

Dirigió la vista hacia el libro. Parpadeó un par de veces y aspiró con fuerza el aire para tratar de combatir aquella inesperada oleada de pérdida. Y de soledad.

Estaba dejada de la mano de Dios sin su familia, en un lugar lejano a todo lo que era conocido. No había una sola persona a la que le importaba si aquel día llegaba con vida a casa o no, por no mencionar cualquier pequeña reforma que quisiera hacer en su cabaña. Apartando de sí aquel pensamiento, se concentró en la página que tenía delante.

¿Debería comprar cemento o masilla?

¿Yeso o cinta aislante?

—¿Emily?

Aquella voz masculina y su timbre familiar hicieron que se diera la vuelta.

—¿Will?

Pero no se trataba del hombre que la había besado la noche anterior con tanta ternura. Un único beso antes de aclararse la garganta, deslizarse de nuevo a su lugar en el asiento y llevarla a casa. Solo un beso… y desde entonces, Emily se había estado diciendo a sí misma que debía olvidarse de ello y del hombre que se lo había dado.

Así que debería alegrarse de que no fuera Will quien la había llamado por su nombre, sino que se trataba de dos hombres jóvenes que se parecían mucho a él. Sus hermanos. Emily compuso una sonrisa y se arriesgó con los nombres.

—Hola, Max, y… ¿Alex?

—Tom —dijo el más delgado—. Yo soy Tom, pero con Max has acertado.

—Lo siento —Emily alzó el libro para mostrarles lo que estaba leyendo—. Estoy un poco preocupada por las diferencias entre el yeso y la masilla para tapar agujeros.

Max le echó un vistazo a las páginas que estaba sujetando Emily.

—¿Tienes un agujero en la pared?

—En realidad en el techo. Yo creo que se trata de un problema de la instalación eléctrica, que ya estaba mal cuando me mudé.

Los dos hombres intercambiaron una mirada.

—¿Vas a tener que reparar la electricidad también?

Emily pasó las páginas con un dedo hasta llegar a la marca que había puesto más adelante en el manual.

—Creo que solo tendré que unir unos cables o algo así.

—O algo así —murmuró Tom—. ¿Tienes experiencia con este tipo de cosas?

—No. Pero tengo el libro y un juego de destornilladores con mango rosa que mi amiga Izzy me regaló unas Navidades.

—¿Y escalera? —preguntó Max.

—Pensaba subirme a la mesa del comedor —admitió Emily—. Y si sigo quedando bajo, puedo colocar un diccionario y un tesauro en el centro y…

—¿Por qué no nos dejas ayudarte? —se apresuró a sugerir Max—. Podemos conseguirte una escalera de verdad.

—Y tenemos relucientes cajas de herramientas llenas de herramientas con viriles mangos negros —añadió Tom.

Emily se rio.

—Creo que mis destornilladores rosas funcionan igual de bien que los vuestros negros.

—Pero la idea de que te subas encima de unos diccionarios sobre la mesa del comedor hace que me sienta inquieto —aseguró Max—. Además, si te ocurriera algo, Will nunca nos lo perdonaría.

—Oh, a Will no le importa lo que me suceda —protestó Emily con el rostro sonrojado. Will no era nada para ella, ni ella para él… A excepción del hecho de que eran marido y mujer. Algo que todavía no habían solucionado.

—No puedo pediros que…

—Es algo normal entre vecinos —aseguró Tom.

—Eres nueva en la ciudad. Considéranos el comité de bienvenida o algo semejante.

¿Cómo podía rechazar una oferta tan amable cuando acababa de estar lamentándose por la falta de amigos?

—Pero luego tenéis que dejar que os invite a cenar en casa.

Los dos hombres intercambiaron una mirada.

—Hecho —dijeron a la vez.

Luego la ayudaron a escoger sus compras y la acompañaron a casa. Cuando abrió la puerta de entrada, comenzó a pensar que tal vez se había equivocado. Una voz interior le presentó varias razones por la que no estaba bien que aceptara su oferta. Por una parte estaba el argumento feminista de que era perfectamente capaz de hacerlo ella misma, pero lo apartó de sí al recordar la reforma que había llevado a cabo el año anterior. Una mujer que había arreglado un retrete y que luego secó la inundación provocada no necesitaba demostrarle nada a nadie.

Si quería averiguar cómo instalar la electricidad y arreglar el techo, lo haría. Lo que pasaba era que Max y Tom ya tenían experiencia y herramientas mejores para realizar el trabajo. No tenía nada de vergonzoso reconocerlo.

Excepto porque se sentía algo avergonzada al saber que en gran medida había aceptado su ayuda porque quería compañía. Una compañía que le recordaba demasiado a Will.

—Chicos —dijo girándose para mirarlos—. De verdad, creo que podré arreglármelas sola, y también estoy segura de que tendréis cosas más importantes o al menos más interesantes que hacer un domingo.

Max sacudió la cabeza.

—Will…

Aquel era el mayor problema de todos. Si se enteraba de que sus hermanos habían estado haciéndole las reparaciones de la casa, podría pensar que estaba tratando con todas sus fuerzas de introducirse en la familia. De pegarse más a él. Sí, no se habían apresurado a disolver su matrimonio con la rapidez con que habían celebrado la boda, pero Emily sabía que Will no buscaba nada permanente.

—No me gustaría que Will supiera nada de esto —aseguró—. Ni siquiera que os habéis ofrecido a hacer algo tan amable por mí.

Su mirada se clavó en una camioneta que bajaba por la calle. Una camioneta sospechosamente familiar. Con algo muy parecido a una escalera en la parte de atrás.

—Este es Will —dijo Emily mirando a los dos hombres.

Sus hermanos intercambiaron una mirada de culpa. Entonces Tom se encogió de hombros.

—Él es quien tiene la escalera. Le llamé por el móvil mientras veníamos hacia aquí.

—Oh, estupendo —Emily sintió cómo se sonrojaba—. Sería muy mortificante que Will pensara que había sido idea suya volver a verlo. Con lo que se había esforzado para apartarlo de su mente, y ahora esto.

—No quiero que piense que ha sido idea mía hacerle venir.

—Nos hemos asegurado de dejarle claro que tuvimos que retorcerte el brazo —aseguró Max—. Y nosotros nos ofrecimos incluso a ir a recoger la escalera. Fue idea suya venir a ayudar.

Emily se mordió el labio inferior y no pudo evitar pasarse la mano por el pelo para peinarse mientas lo veía detener la camioneta.

—¿Estáis seguros?

—Completamente. Aunque seré del todo sincero y te diré que tampoco tratamos de disuadirle.

Tom miró de reojo hacia atrás.

—Y para ser del todo sincero, nos alegramos de tener una razón para traerlo hasta aquí. Ha estado evitando a la familia desde junio, y todos nos hemos estado estrujando el cerebro para buscar excusas para verle.

Tal vez eso explicara por qué Betsy necesitaba que la llevaran al partido de fútbol la otra noche.

—¿Por qué no le llamáis para salir a tomar una cerveza o a cenar?

—Lo hemos intentado —aseguró Max—. Pero no quiere.

Emily no estaba segura de cómo plantearlo, así que se limitó a lanzar la pregunta.

—¿Tan malo es que quiera poner algo de distancia entre todos vosotros y él?

Los hermanos adquirieron idénticas expresiones de asombro.

—¿Distancia? ¿Por qué querría hacer algo así? Somos su familia.

Emily suspiró. Will se había sentido abrumado por toda la responsabilidad con la que había tenido que cargar, ella lo entendía perfectamente. Pero estaba claro que Max y Tom no.

—Así que te agradecemos esta oportunidad de ver a nuestro hermano, Emily.

Aquello era encantador por su parte. Rindiéndose ante lo inevitable, Emily abrió la puerta y la mantuvo para que los dos hombres pasaran. En lugar de seguirlos, se quedó donde estaba y esperó a que Will llegara con la escalera debajo del brazo.

—Hola —lo saludó ella cuando sus miradas se cruzaron.

Haciendo como que tenía una barra de acero en la columna vertebral y otras dos en las rodillas, ignoró el recuerdo de sus callosas manos sobre su rostro y el dulce tacto de su lengua contra la suya. Se aclaró la garganta y rompió el contacto visual.

—Tus hermanos ya están dentro.

Will se detuvo al pasar delante de ella. Emily respiró y aspiró su aroma limpio y viril.

—Hola —dijo él—. Espero que mis hermanos no te hayan causado problemas.

—Por supuesto que no —sonrió—. Son encantadores.

Will tenía suerte de contar con ellos. Mientras aspiraba una vez más su delicioso aroma y sentía el calor de su cuerpo rozando el suyo cuando entraron, Emily pensó que podía considerarse afortunada para tratarse de una mujer que se suponía que se estaba olvidando de él y de sus besos.

No era que Will no pudiera confiarle a sus hermanos la escalera. O que no pudiera confiarles a su esposa... ni siquiera sabía que estaba casado. No era que Will no pudiera confiar en que sus hermanos se comieran lo que preparara una mujer parecida a Emily y que le hicieran algún cumplido a su comida casera.

Eran las tres cosas juntas: la escalera, su esposa, los espaguetis y las albóndigas, que olían de maravilla.

—Tú no sabías que estaba cocinando espaguetis y albóndigas —recalcó Emily cuando él trató de explicar por qué había dejado colgados a su sofá y a un partido televisado de fútbol para venir a ayudarla—. Ni siquiera sabes si sé cocinar o no.

—Pero mi instinto no me ha engañado, ¿verdad? Huele delicioso.

—Las cebollas y el ajo siempre huelen bien —Emily volvió a remover la salsa—. Nadie puede hacer mal un salteado de cebollas y ajo.

—No sé —respondió Will—. Yo no he salteado en mi vida.

—Sí, lo hiciste. Cocinaste un pollo en el campamento. Saltear es cuando metimos verduras cortadas en aceite caliente.

—Bueno, pues he perdido completamente la práctica. Tras el último campamento de verano, mi dieta vegetariana consistió en abrir una bolsa tamaño cuartel de zanahorias crudas y soltarlas en medio del comedor. Les dije a los niños que no podíamos permitirnos comprar gafas, así que tenían que comérselas para no perder la vista.

Emily estaba de pie con la cuchara de madera en la mano y lo observaba fijamente.

—Suena como si hubieras sido un proveedor aplicado.

La sonrisa de Will se desvaneció.

—Hice lo que tenía que hacer —había sido en ocasiones un peso casi insoportable, y pensó en la cantidad de meses que pasó sin apenas dormir—. Pero ahora ya ha terminado.

Will iba a recuperar su fácil y despreocupada soltería.

Pero allí estaba, en una cocina con el aspecto y el olor más hogareño posible, y con su mujer.

Diablos. Sin decir una palabra más, salió de la cocina y cruzó el pasillo en dirección al comedor, donde Max y Tom estaban haciendo los remates finales del techo. La nueva instalación de luz estaba montada. Se trataba de una lámpara brillante y hogareña que iluminaba el pequeño comedor con sus paredes pintadas de suave dorado.

Will observó con una punzada de orgullo y aprobación cómo Tom sujetaba la escalera mientras Max bajaba. Él les había enseñado a ser así de precavidos, igual que le había enseñado su padre. Habían hecho una buena reparación y además lo habían limpiado todo. Otra máxima que Dan Dailey le había enseñado a su hijo mayor. Will se aclaró la garganta y se metió las manos en los bolsillos.

—Tiene buen aspecto. Si habéis terminado con la escalera, la llevaré de vuelta a la camioneta.

Tal vez, pensó, debería cargar la escalera, y luego subirse él y volver a su casa. El delicioso olor que salía de la cocina, la camaradería de la que había disfrutado trabajando con sus hermanos, por no mencionar a la mujer de la cocina… No quería acostumbrarse a nada de todo aquello. Un tipo libre como él podía ir a cualquier sitio a tomarse una cerveza o dos un domingo por la noche si quería. No era como en los viejos tiempos, cuando se pasaba la noche metiendo ropa en la lavadora, sudando para tener la ropa de sus hermanos preparada para otra semana de colegio.

—Ya que os habéis ocupado tan rápidamente de esto, no necesitáis que me quede por aquí, ¿verdad? —dijo.

Y él no quería quedarse por ahí, ¿verdad?

Max le dedicó una sonrisa.

—Por mí no hace falta. Y tampoco lloraría si te llevaras a Tom contigo.

—Max, Tom no va dejarte el camino libre sin tomarse antes unos espaguetis con albóndigas —aseguró el susodicho.

—¿Dejarle el camino libre? —repitió Will. ¿Y eso?

—¿Y tú eres el que está preparado para llevar una vida de soltero? —se mofó Max—. Piénsalo, hermano. ¿Por qué querría un soltero quedarse a solas con una mujer guapa?

—¿Y eso? —volvió a repetir Will parpadeando.

—Creo que tiene una boca besable —murmuró Max bajando el tono de voz—. ¿No crees que tiene una boca de lo más besable, Tom?

—Besable al cien por cien —reconoció el más pequeño de los hermanos Dailey—. De eso no cabe duda.

—¿Quién? —preguntó Will sabiendo nada más decirlo que había mordido el anzuelo. Pero sin duda sus hermanos no podían estar diciendo lo que él creía que estaban diciendo. Les había dicho que conocía a Emily de los campamentos de verano. Pero también les había dicho que eran solamente amigos. Y sin embargo, no podía creerse que...

—¿Quién es besable?

—De lo más besable —le corrigió Max—. Estoy hablando de nuestra anfitriona, por supuesto. Tom, te daré cinco pavos si te pierdes. Ni siquiera tendrás que ir andando a casa, porque Will te llevará.

—¿Cinco pavos? —Tom dejó escapar un suspiro exagerado—. ¿Y dejar atrás ese olor? Me parece que no.

—Cinco pavos, y cuando llegues a casa puedes comerte la pizza que estaba guardando en la nevera.

—Veinte pavos, la pizza y ese tubo de rosquillas. Promételo y entonces me lo pensaré.

Will miró primero a uno de sus hermanos y luego al otro.

—¿Estáis hablando de Emily? De mi... quiero decir, ¿de Emily? —señaló con el pulgar hacia la cocina sin apartar la vista de los dos jóvenes—. Nadie va a besar aquí a Emily, ni por cuarenta pavos, dos pizzas y media docena de tubos de galletas.

Max alzó una ceja. Sus ojos reflejaban un brillo de regocijo.

—¿Ni siquiera tú?

Will torció el gesto e ignoró el comentario.

—Terminemos de una vez para sentarnos a cenar y así poder salir de aquí. Los tres juntos.

Pero la cena llevó un ritmo pausado, sobre todo gracias a Emily. Puso la mesa que habían vuelto a colocar debajo de la lámpara con dos grandes velones color crema. No olían a nada, y Will se alegró por ello. Nada le desagradaba más que las velas aromáticas.

Emily estuvo muy atenta con sus hermanos, y Will confiaba en que Max no se tomara sus preguntas educadas como una señal de que estaba interesada en él. Se aseguró de lanzarles a sus hermanos unas miradas penetrantes para que los jóvenes se dieran cuenta de ello. Emily solo se interesaba por sus vidas porque era una de esas personas que sabía poner una mesa bonita, servir buena comida y mantener una conversación agradable durante la cena.

Y todo ello provocando que Will no apartara los ojos de sus labios besables.

Durante todo el tiempo que Max y Tom hablaron de sus trabajos, del apartamento que compartían y de su liga de hockey, Will se relajó en la silla y observó cómo se movían los labios de Emily.

Tenían un color entre la fresa y el algodón de azúcar, y aunque había criado a sus hermanas y sabía que seguramente se habría puesto un toque de lápiz de labios, eso no apartó su atención de ellos. Ni disminuyó su deseo de saborearlos.

Will apartó el plato y estiró las piernas, evitando

las de sus hermanos con la facilidad que proporcionaba la práctica. Se estaban riendo en aquel instante con Emily de algo, y la luz de las velas brillaba en los ojos de ella y justo en el centro de su labio inferior.

Ella estaba bromeando con ellos sobre sus novias, y Max intentaba hacer algunos avances con ella, pero Emily también se reía de eso, tomándoselo como la broma que Will esperaba que fuera.

Le dirigió a su hermano una mirada que decía: «Ella no es para ti, amigo mío». Max sonrió y asintió brevemente con la cabeza antes de volverse hacia la anfitriona.

—¿Y qué nos dices de ti, Emily?

—¿De mí?

—Ya lo sabemos todo sobre tu decisión de dejar el sur de California por nuestro clima norteño. Y que quieres empezar una nueva vida tras perder el año pasado a tu madre. Pero no sabemos nada de los corazones rotos que habrás dejado atrás…

Ella se revolvió en la silla y luego se puso de pie.

—No creo que eso os interese —dijo recogiendo los platos—. La verdad es que…

—Nosotros recogeremos la mesa —dijo Will levantándose también y observando con satisfacción que sus hermanos hacían lo mismo. Aunque en casa no solían demostrarlo, parecía como que, cuando estaban fuera, demostraban buena educación.

—Ya habéis hecho bastante —protestó Emily—, y ahora voy a servir los brownies. Puedo…

—Espera a que limpiemos la mesa —dijo Will dirigiéndose a la cocina.

Por supuesto, aquello también fue muy rápido. Will y sus hermanos eran expertos en lavar platos.

Emily pareció agradecer su trabajo. Sugirió incluso que se ofrecieran para que alguien los contratara el día de Acción de Gracias.

—Estamos demasiado ocupados —aseguró Tom—. La noche de Acción de Gracias hacemos copos de nieve.

—¿Copos de nieve? —Emily miró primero a los tres hermanos, uno detrás de otro.

Will ahogó un gruñido. Los copos de nieve no eran un gran secreto, pero sonaba un poco hortera. Es más, era un poco hortera, pero el primer día de Acción de Gracias sin sus padres, cuando normalmente estarían sacando del altillo la decoración navideña, a él se le había ocurrido la idea de los copos de nieve, y de alguna manera había permanecido la tradición.

—Nos hacemos con todo tipo de papeles y tijeras —comenzó a decir Tom.

¿Y a alguien se le había ocurrido pensar en lo difícil que era encontrar seis pares de tijeras que funcionaran en una casa de seis hermanos?, se dijo Will mientras seguía colocando los platos.

—Y después de la comida de Acción de Gracias nos sentábamos a cortar copos de nieve que utilizábamos para decorar la casa y el árbol de Navidad.

—Qué encantador —exclamó Emily—. ¿Desde cuándo tenéis esa tradición?

Desde que Will fue incapaz de subir al altillo y enfrentarse a todos los recuerdos que había allí guardados desde la muerte de sus padre. Desde que Will lloró la muerte de sus padres y comenzó a preocuparse de no ser capaz de criar adecuadamente a sus hermanos. Desde que se apuntó a todos los turnos extras posibles para poder permitirse celebrar la Navidad y comprar regalos.

Esa época suponía para él colocarse una piedra más al cuello, y se preguntaba si aquel sería en el día en el que se ahogaría. Los quería mucho a todos, pero estaba encantado de haberse librado por fin de todas aquellas preocupaciones.

Pero qué diablos, allí, en aquel lugar, con sus hermanos y su esposa… no era libre.

Arrojó el trapo que tenía en la mano sobre el mostrador.

—Tengo que irme —dijo sin mirar a Max, a Tom ni a Emily—. Tengo cosas que hacer.

Cosas como vivir «la vida loca» con la que había soñado durante los últimos trece años antes de relacionarse otra vez demasiado con su familia… y con su esposa. Porque esta vez se ahogaría seguro.

Capítulo 6

CON una lata de brownies en la mano, Emily corrió hacia la entrada de Will, consciente del transcurrir de los minutos.

Estaba utilizando la última media hora de su turno para comer para llevarle un pequeño detalle de agradecimiento. Se detuvo un instante al comienzo de los escalones del porche e inclinó la cabeza para mirar la casa familiar de los Dailey. La fachada era de un gris azulado, las contraventanas blancas, y tenía un porche ancho. Era una casa encantadora, aunque no lo suficientemente grande para una familia de seis hijos, y podía imaginarse el caos que debió de existir entre aquellas cuatro paredes cuando eran niños. Para ella, la idea de tener compañía constante y ruido omnipresente le resultaba más que atractiva, pero estaba claro que Will ya había tenido suficiente. Ahora estaba en una posición en la que la soledad y la independencia eran lo más preciado para él. Emily no creía estar equivocada al pensar que se había ido pronto de la cena la noche anterior porque necesitaba estar sol.

Y se había marchado tan deprisa que ella no había podido darle las gracias como se merecía. Pero cuando regresara a casa y encontrara un postre casero en la puerta, confiaba en que captara el mensaje.

Emily se quedó de pie en el porche, pensando cuál sería el mejor lugar para dejar su lata, cuando de pronto se abrió la puerta de entrada. Sorprendida, dio un paso atrás y Will también, de modo que no pudo ver su expresión mientras permanecía de pie en el vestíbulo en sombras.

Además de asombrado, ¿cómo se sentiría al volver a verla? ¿Molesto? ¿Contento?

Porque ella se sentía contenta, qué diablos. Desde que se topó con él en Las Vegas, cada vez que lo veía experimentaba aquella increíble alegría al ver su cabello oscuro y sus hermosas facciones.

—Emily —murmuró él—. No esperaba verte.

—Yo tampoco esperaba verte a ti —dijo ella utilizando la mano que tenía libre para bajarse la falda de su vestido de algodón. Era un día soleado y hacía calor.

—Creí que estarías en el trabajo.

—Hoy tengo el día libre —dijo señalando con un gesto el interior de la casa—. Pasa.

—Oh, yo… —sin duda solo estaba tratando de ser educado, y no era una auténtica bienvenida. Así que le entregaría los brownies y luego se largaría de allí. Después de todo, estaba en la última media hora de su turno para comer. Realmente tenía que irse. Pero tenía la curiosidad de una esposa temporal por ver cómo vivía su esposo temporal, y seguramente nunca tendría otra oportunidad.

—Solo puedo quedarme un minuto.

Una vez dentro, Will la guio hacia un estrecho salón ocupado casi por completo por un sofá con un estampado de cachemira y una butaca destripada con colores parecidos. En las paredes había cuadros enmarcados encantadores, pero obviamente pintados por niños.

Will se dio cuenta de dónde estaba mirando.

—Hace unos años, mis hermanos me regalaban su dibujo más bonito por Navidad.

—¿Y los has guardado todos?

Will se metió las manos en los bolsillos.

—Tengo una carpeta de cada uno de ellos. Fue mi madre la que empezó.

Y él había continuado con aquella práctica. Aquello no debería enternecerle el corazón de aquel modo, pero ahora había un líquido cálido dentro del órgano que latía en medio de su pecho. Rascándose el esternón con los nudillos, se acercó a una pequeña butaca para observar de cerca una manta tejida de manera irregular en tonos verde oliva que no pegaban ni con el resto de los colores de la habitación. Sin duda se trataba de otro objeto artesanal. Emily alzó una ceja en dirección a Will.

Él se aclaró la garganta.

—Betsy la hizo para mí cuando estaba en el instituto. Ella misma admite ahora que es un poco fea. He estado pensando en deshacerme de ella.

El corazón de Emily se enterneció todavía más mientras trataba de ocultar una sonrisa.

—A mí me gusta —aseguró.

Entonces se dio cuenta de la hora que era en el reloj del abuelo que estaba en una esquina de la habitación. Pensó que podría pasarse el resto de la tarde explorando el entorno de Will y analizando su relación con el hombre en el que se había convertido ahora, pero tenía que irse a trabajar.

—Tengo que irme.

—No me has dicho para qué has venido.

Emily alzó la lata de brownies.

—Quería dejarte un detallito para agradecerte la ayuda de ayer. Brownies. Ayer te quedaste sin postre.

—Lo lamento —Will se miró los pies, calzados con unas zapatillas de deporte desgastadas.

Con el cabello algo húmedo y enfundado en unos vaqueros y una camisa arrugada que llevaba remangada, parecía un hombre a punto de ir a hacer unos recados. Pero por lo que Emily sabía, estaba a punto de salir para dirigirse a una cita apasionada... o acababa de salir de la cama tras una larga e intensa noche.

Emily frunció el ceño al verle inclinar la cabeza. Ahora estaba un poco enfadada con él, y deseó no haberle llevado los brownies. Que la mujer, o las mujeres, con las que estaba saliendo Will el salvaje le hicieran regalitos.

Algo que seguramente ya hacían, pensó para sus adentros. Sí, de acuerdo, era una estupidez sentirse traicionada, pero era consciente de que lo estaba mirando con el ceño fruncido de todas maneras.

Will le pilló aquella expresión, porque de pronto alzó la mirada y dijo:

—Y lamento todavía más haberme perdido la historia de los amores que dejaste tras de ti.

Emily dejó caer la mandíbula.

—¿Cómo? ¿De qué estás hablando?

—De tu pasado romántico. Poco después de llegar a casa anoche me di cuenta de que habías sorteado con mucho arte la pregunta de Max sobre los corazones rotos que habías dejado atrás al marcharte.

Emily dejó la lata de brownies sobre una mesa.

—Ahora estoy aquí.

—Buen intento, amiga.

Ella le lanzó una mirada. Lo cierto era que ni siquiera eran amigos, ¿verdad? Viejos conocidos, dos personas atrapadas en un mismo error, un error respecto al que deberían hacer algo. Por ejemplo en aquel momento. Pero odiaba ser ella la que tuviera que recordarle al liberado y libertino Will el salvaje que todavía estaba legalmente casado. Pero eso no era razón para que se sintiera obligada a explicarle que había pasado su década de los veinte cumpliendo el cliché de una bibliotecaria que se pasaba la mayor parte del tiempo con la nariz metida en los libros en lugar de estar con algún hombre.

Pero no había razón para confesar nada de todo aquello.

—Mira —dijo consultando su reloj con teatralidad—, estoy muy ocupada. Tengo que volver a la biblioteca.

Will entornó los ojos y luego una gran sonrisa le cruzó el rostro.

—Ajá. Ya lo tengo.

Emily se cruzó de brazos.

—¿Qué es lo que tienes?

—Esa frase te ha salido con demasiada facilidad, cariño —Will sacudió la cabeza—. «Estoy muy ocupada. Tengo que volver a la biblioteca». ¿Ésa ha sido tu frase típica durante los últimos trece años?

No. Mientras se sacaba tus títulos, la frase había sido: «Estoy ocupada. Tengo que ir a estudiar a la biblioteca».

Pues no, no había sido de las que iban a fiestas ni una cazahombres. Y no porque su corazón ya perteneciera a alguien. En absoluto. Durante los años que transcurrieron desde que vio a Will por última vez, tenía otras cosas que hacer aparte de buscar al hombre de sus sueños.

—Pasé mucho tiempo con mi madre tras la muerte de mi padre —se escuchó decir. Emily bajó la vista y jugueteó con la lata de brownies—. Y durante los dos últimos años necesitó muchos cuidados. Así que eso es lo que hacía cuando no estaba trabajando. Cuidarla.

—Diablos —se lamentó Will salvando la distancia que los separaba para acariciarle el cabello—. Soy un imbécil por tomarte el pelo de esta manera. Y por recordarte cosas desagradables. Lo siento.

—No pasa nada —no debería gustarle tanto el modo en que la acariciaba.

—No, sí que pasa. Vamos, pégame o algo así.

Emily alzó la cabeza y sonrió tímidamente.

—Will...

Lo que fuera a decir se perdió en la breve distancia que los separaba. Se le desvaneció la sonrisa y lo miró a los ojos. Su tono marrón profundo le resultaba tan familiar, y el calor que desprendían era tan...

Excitante.

Los recuerdos se apoderaron de ella. Pero no aquellos recuerdos infantiles de verano que le resultaron tan dulces cuando se reencontró con él en Las Vegas. Éstos eran recuerdos adultos: el calor de su pecho a través de la camisa cuando bailaban sobre el parqué del bar del hotel. El loco acelere de su corazón cuando pronunciaron los votos matrimoniales delante de un espantoso Elvis y escuchando los acordes de *Are you lonesome tonight*. El modo en que había sucumbido ante el apasionado beso que le había dado en la barbacoa de su hermana. Cómo todo su cuerpo se había estremecido al sentir su lengua acariciando la suya en su camioneta la noche del partido de fútbol.

Los dedos de Will le acariciaron el cabello y lo sujetaron de tal modo que le inclinó ligeramente la cabeza para poder verle mejor la cara.

O para encontrar una ruta directa a sus labios.

Dejó escapar un suave gemido.

—Sigues siendo el sueño de cualquier muchacho —murmuró—. Tus ojos grandes, la boca suave… —deslizó la mirada hacia el cuello de Emily—. ¿Por qué te late tan deprisa el corazón, nena?

—Porque… —ella se humedeció los labios, incapaz de hablar, incapaz de pensar. El pulso se le aceleró todavía más—. Tengo que volver. Tengo que…

—No te vayas. No vayas a ninguna parte —la mano libre de Will se dirigió hacia su rostro y le acarició la mejilla con el dedo pulgar. Después hizo lo mismo con los labios.

Sus labios suaves.

El cuerpo de Emily dio un respingo y perdió el equilibrio, yendo a dar contra la esquina de la mesa. Will le soltó el cabello para agarrarla de los hombros en el mismo momento en que Emily sintió cómo sus medias de nylon se enganchaban en la pata de la mesa.

—Maldición —murmuró inclinándose para inspeccionar los daños. Sí. Tenía una carrera gigantesca que seguía subiendo. Emily se mordió el labio inferior y se levantó rápidamente la falda para tirar de la pieza de encaje que sujetaba la media al muslo y detener así el curso de la carrera.

Al escuchar otro gemido ronco, Emily se quedó paralizada.

Levantó la mirada hacia el rostro de Will. El bajo de su vestido no estaba en ningún punto impúdico, solo lo había subido un centímetro o dos, pero a juzgar por su expresión, parecía como si estuviera haciendo *striptease* en un club de Las Vegas.

La media estaba ya a la altura del tobillo, así que Emily se la quitó y colocó rápidamente el pie en uno de sus mocasines bajos.

—Era… era una carrera horrible.

—Nada de lo tuyo es horrible, Emily.

Cielos. Cada palabra que escuchaba, cada momento que pasaba con él, la derretía más.

—De verdad que tengo que irme —volvió a decir.

—De acuerdo —dijo él. Pero se colocó de cuclillas delante de Emily. Ella tragó saliva y volvió a tragarla cuando la mano de Will le rozó la rodilla de la otra pierna—. Pero no puedes irte con una media sí y otra no.

Emily no se lo podía creer. Entonces, Will deslizó las manos por debajo de su vestido, avanzando con las yemas de los dedos sobre su media y por la pieza de encaje hasta que dio con su piel desnuda. Emily sintió un escalofrío que le recorrió el cuerpo de la cabeza a los pies.

Y sin embargo, no podía moverse.

Petrificada ante lo íntimo que resultaba aquel acto, por lo erótico que era, lo único que pudo hacer fue limitarse a mirar cómo le deslizaba la prenda de nailon por la pierna, desnudándola igual que la otra. Cuando llegó el momento, Emily le puso las manos sobre los hombros para mantener el equilibrio mientras salía de la media y volvía a ponerse el zapato.

Will se levantó muy despacio con la media hecha una bola en la mano. Ella fue a agarrarla, pero Will sacudió la cabeza y se la guardó en el bolsillo de los pantalones.

—La recuperarás esta noche, Emily.

—¿Esta noche?

Él sonrió y le acarició el labio superior con el dedo pulgar.

—Vas a venir a buscarla, ¿verdad?

«Vas a venir a buscarla, ¿verdad?».

Aquella pregunta la persiguió durante toda la tarde. Sabía lo que iba a ocurrir si regresaba a casa de Will. Aquella certeza se había instalado en el aire que los rodeaba en el salón de su casa y en la sensibilidad de su piel ante su contacto. Pero se trataba de una idea espantosa… ¿no?

Y sin embargo…

Tal vez si se lanzaban, si se iban a la cama juntos, pondrían poner punto y final a aquella atracción.

Sí, claro.

Era imposible engañarse con aquel argumento. Si lo que venía después de los besos era tan explosivo y poderoso como los propios besos, entonces no creía que entrar en la cama de Will sirviera para aplacar el fuego que se desencadenaba cuando estaban juntos.

Y si el sexo entre ellos no funcionaba... ¿Podía llegar a ocurrir algo así? ¿Podrían ser más cenizas que llamas?

Aquella posibilidad selló la decisión de Emily. De ninguna manera iba a desnudarse con Will. Era mucho mejor con un deseo sexual no satisfecho que destrozar el dulce recuerdo de su primera amor.

Así que sí, aquella noche iría en busca de Will, pero armada con toda la información que necesitaban para comenzar el procedimiento de poner fin a su matrimonio, y no para iniciar una aventura.

Seguro que podría capear los intentos de Will de convencerla para lo contrario.

Sin embargo, a pesar de su determinación, estaba nerviosa cuando salió del coche delante de casa de Will. Todavía había mucha luz y hacía bastante calor, así que no le sorprendió encontrar la puerta delantera abierta... pero el sonido de música country que salía a través de ella le resultó algo inesperado. No era precisamente una música pensada para la seducción.

Y cuando llamó a la puerta, fue su hermana Betsy la que salió a abrir. La joven sonrió.

—Will me dijo que vendría, pero en este momento no está. Yo soy tu anfitriona oficial, y al parecer, también la carabina oficial de tus citas con mi hermano.

Emily sintió bastante más alivio del que cabría esperar en una mujer decidida a no irse a la cama con un hombre.

—No estoy saliendo con tu hermano —le aclaró—. He venido a...

¿Qué excusa podía dar?

Betsy le sujetó la puerta y le hizo una seña para que entrara.

—Has venido a ayudarme. Voy a ir a un baile de antiguos alumnos y me vendría muy bien una segunda opinión para escoger el vestido.

—Ah… claro.

Emily siguió a la otra mujer por un estrecho pasillo y luego se detuvo en el umbral de un dormitorio decorado con estilo masculino.

—¿Betsy? —la hermana de Will entró en la habitación sin vacilar.

—Entra. Esta habitación tiene un armario de más lleno de cosas antiguas.

Pero «esta habitación» era sin duda el dormitorio de Will. Y allí al fondo, entre cuatro postes y bajo una colcha oscura, estaba la cama de Will. Y la almohada de Will. Y el aroma de Will flotando en el aire.

Al otro lado se encontraba el espejo de Will, y debajo de él, la cómoda de Will, sobre cuya superficie había fotos de su familia y…

Los pies de Emily entraron hasta el fondo de la habitación sin pedirle permiso. Porque allí había otra foto enmarcada. Ella misma había adornado aquel marco, recordó, con ramitas que había encontrado en sus paseos con Will y utilizando cola caliente para rodear los extremos de la foto que alguien les había hecho una vez. Colgado de la parte superior del marco estaba el brazalete de macramé que Emily había tejido para él en su último verano juntos.

Ella tenía uno igual… en alguna parte.

Bueno, de acuerdo, sabía exactamente dónde estaba. En su joyero, guardado entre el anillo de boda de su madre y el collar con el corazón que Will le regaló una vez. Ahora también estaba allí guardado su propio anillo de boda.

La voz de Betsy la sacó de sus ensoñaciones.

—Emily, ¿cuál de estos dos te gusta más?

Apartando la vista de aquella vieja foto, se dirigió hacia la joven. Dentro de aquel vestidor espacioso y bien iluminado, encontró a Betsy contemplando una selección de trajes de vestir. Entre ellos había un vestido de baile de fin de curso en tonos corales que parecía sacado de un cuento de hadas.

Emily no lo dudó un instante.

—Este —dijo estirando la mano para acariciar la tela de tul—. No lo dudes.

Betsy compuso una mueca.

—No puedo. Me trae recuerdos horribles. Era candidata a convertirme en reina del baile, pero perdí, y encima mi novio rompió conmigo aquella noche.

Betsy sostuvo contra su cuerpo un vestido ajustado color escarlata que tenía un lazo gigantesco en el hombro.

—¿Qué te parece?

—El lazo es un poco…

—Sí. Demasiado. Perfecto para esta fiesta. Le diré a todo el mundo que era de Jamie si recibo muchas críticas —Betsy lo sacó de la percha y empezó a quitarse la ropa—. Aunque primero tengo que asegurarme de que quepo en él.

Abby volvió a mirar el vestido de hada.

—¿Estás segura de que no prefieres llevar este?

—Cielos, no. Intento pensar en Denny Jeffries lo menos posible. ¿Por qué no te lo pruebas tú? Solo para divertirnos.

Emily se lo quedó mirando, consciente de que no

debería sentirse tan melancólica. Tenía treinta años, era demasiado mayor para sentirse atraída por un vestido bonito que tenía la frase «fantasía adolescente» escrita por encima. Pero tal vez fuera porque estaba en el dormitorio de Will, o porque no había asistido a su propio baile de fin de curso, o porque... Bueno, no sabía por qué, pero de pronto estaba desabrochándose el vestido que llevaba y poniéndose aquel otro modelo sin tirantes.

Betsy se había quitado el vestido de su elección y se lo había vuelto a quitar. Dijo que le quedaba bien siempre y cuando no respirara demasiado hondo. Emily todavía no había conseguido subirse el corpiño del que se estaba probando ella. Necesitó la ayuda de Betsy para subirse la cremallera de atrás, y luego se miró en el reflejo del espejo que había dentro del armario.

—Oh —Emily se quedó mirándose. El vestido resultaba igual de mágico fuera de la percha, y lo único que estropeaba el efecto eran los tirantes del sujetador que asomaban bajo el precioso corpiño.

—¿Está mal pensar que en otra vida pertenecí a la realeza?

Betsy se rio.

—Pero los miembros de la realeza no enseñan los tirantes del sujetador.

—Tienes razón —Emily se metió la mano por delante del vestido, desabrochó el cierre delantero y se lo quitó. El corpiño tenía un corsé que mantenía todo levantado. Se giró hacia Betsy.

—Puedes llamarme princesa Emily.

La otra joven sonrió.

—Bien, princesa Emily, con vuestra venia, voy a

tener que retirarme —dijo dando un golpecito con el dedo índice a la superficie de su reloj—. Ya llego tarde.

—De acuerdo —Emily se giró para volver a admirarse en el espejo—. Voy a seguir fingiendo unos treinta segundos más o así.

Los treinta segundos se transformaron en tres, cuatro, cinco minutos.

Tiempo suficiente para que Betsy saliera de la casa y Emily se diera cuenta de que no podía bajarse sola la cremallera del vestido. Lo que significaba que Will podría entrar en cualquier momento y encontrársela con un vestido demasiado romántico.

Aquello fue suficiente para que le sudaran las palmas de las manos mientras trataba de bajarse una vez más la cremallera.

—Maldición, maldición, maldición —murmuró desesperada. Lo único que consiguió fue darle la vuelta al vestido de modo que la parte de delante quedó atrás y viceversa.

Por supuesto, eso significaba que los pechos le quedaban desnudos con el corte bajo de la espalda, pero al menos tenía una oportunidad de conseguir que la cremallera colaborara. Murmurando unas cuantas palabrotas que funcionaron como un conjuro mágico, finalmente la bajó, liberando de paso el aire. La falda de tul cayó a sus pies y Emily estaba sacando los pies de los pliegues cuando se abrió la puerta del vestidor.

Su mirada se cruzó con la de Will, que la observaba fijamente con la sorpresa dibujada en el rostro. Emily estaba medio desnuda.

En su dormitorio.

Cerca de su cama.

Con el sonido apenas perceptible de una cerilla al encenderse, aquella chispa omnipresente entre ellos cobró vida. La piel de Emily se sonrojó y se le pusieron los pezones erectos.

Era consciente de que estaba medio desnuda. Y sin duda también Will se había dado cuenta de ella, porque su mirada se deslizó a la prueba palpable de su inmediato interés sexual.

Sonaba otra canción country que hablaba de una campesina, y tampoco se trataba de una melodía seductora. Pero eso no parecía importar, porque Emily se dio cuenta de que ella ya estaba seducida... por el olor de Will que impregnaba la habitación, por la foto de su cómoda, por la seria expresión de sus ojos cuando alzó una mano para tocarle el brazo que trataba con poco éxito de cubrirle los senos.

Capítulo 7

MIENTRAS escuchaba a medias cómo Emily balbuceaba una especie de explicación sobre qué hacía en su vestidor, Will le apartó el brazo del cuerpo, dejando al descubierto sus cremosos senos y los tirantes pezones que los coronaban.

Alzó la mano libre para tocar uno de aquellos puntos rosados, y vio cómo se convertía en una protuberancia todavía más pequeña. Emily contuvo el aliento, pero Will no la miró a la cara, fascinado como estaba ante la visión de aquella mano grande y bronceada cerrándose sobre los delicados colores de su cuerpo expuesto.

—El sueño de cualquier muchacho —se escuchó volver a decir mientras trazaba su aureola con el dedo índice.

Emily sintió cómo se sonrojaba de nuevo.

—No sabes cuántas veces he pensado en esto.

—Will…

Él le recorrió el pico con el dedo pulgar y observó cómo los músculos abdominales de Emily se tensaban por encima de la banda elástica de sus medias de seda rosas.

—Te deseo, Emily.

Se excitó la primera vez que la tomó de la mano cuando era un adolescente. En aquel momento, sintió como si siempre se hubiera excitado por ella. Will alzó la mirada hacia su rostro y se dio cuenta de que tenía las pupilas dilatadas, los labios entreabiertos y una clara expresión de incertidumbre.

—Yo… No soy de las que normalmente se dejan llevar.

Will esbozó una tenue sonrisa. Emily la práctica. La bibliotecaria. Al parecer, quería pensar en todo. Pero ¿acaso no habían ido avanzando hacia aquel punto desde que se encontraron en Las Vegas? Él había pensado muchas veces en ello desde entonces.

—No estoy intentando que deje de funcionarte el cerebro, Emily. De hecho, deseo todo lo contrario —Will le acarició una vez más el pezón con el dedo pulgar y volvió a comprobar cómo se le sonrojaban el cuello y las mejillas—. No quiero que pierdas la cabeza. Quiero que estés aquí en este momento, ahora mismo, conmigo.

El cuerpo de Emily se balanceó hacia él, aunque al instante volvió hacia atrás.

—Pero… pero…

—¿Pero qué? —Will la atrajo hacia sí y le deslizó la mano por la espalda desnuda, de modo que su palma quedó colocada entre las escápulas y los pezones. Solo una camisa la separaba de su torso.

—¿Somos demasiado jóvenes? —preguntó él bajando la voz—. ¿Alguien podría pillarnos? ¿Apenas nos conocemos? ¿No nos deseamos?

Emily se humedeció el labio inferior, el que volvía loco a Will solo con mirarlo.

—Emily, tú sabes que ninguna de esas objeciones es cierta. Las tres primeras ya no lo son. Y la cuarta nunca lo ha sido. Ahora somos adultos. Podemos acariciarnos por todas partes sin preocuparnos de nada.

Emily compuso una mueca que era una mezcla de puchero, preocupación y sonrisa.

—Tu capacidad de persuasión ha mejorado sin duda con los años, Will.

Él sonrió mientras le acariciaba la espina dorsal con círculos suaves.

—Eso pasa cuando un se tiene que criar a cinco niños.

Aquel comentario hizo que Emily mirara hacia atrás, hacia el dormitorio.

—No te preocupes, Emily —la tranquilizó él—. Estamos solos. Vamos a estar solos. He cerrado con llave la puerta principal al entrar. Estamos solos tú y yo y esa cama en la que no ha estado nunca ninguna mujer… hasta ahora.

Emily entornó los ojos.

—¿De verdad?

Con la mano que tenía libre, Will le acarició la pequeña línea de expresión que se le había formado entre las cejas.

—De verdad —los labios de Will rozaron los suyos y fueron también suaves allí, aunque se entretuvo para permitir que se mezclaran sus cálidas respiraciones—. En esto serás también la primera, cariño.

A Emily le latía el corazón a toda prisa, Will podía sentirlo contra su mano y contra su pecho. Eso hizo que le entraran deseos de agarrarla, insistir, poseerla, pero se limitó a acariciar con los dedos los badenes de su espina dorsal, que le hicieron recordar que debía tomárselo con calma. Emily se estremeció contra él, y Will le besó las comisuras de los labios y luego la nariz.

—Emily, he deseado hacer el amor contigo desde antes de saber incluso qué significaba eso. Y tú también me deseas, lo sé.

Ella apoyó la mejilla sobre su hombro, refugiándose en él como si fuera algo familiar y confortable en lugar del hombre ardiente y excitado cuyo autocontrol pendía de un hilo. Así que se agarró a ese autocontrol con fuerza y contuvo las ganas de apretujarla y demostrarle lo excitado que estaba, porque se trataba de Emily y solía pasarse horas encantado con limitarse a acariciar su largo y sedoso cabello.

—Me lo estoy pensando demasiado, ¿verdad, Will?

—Siempre he dicho que eso de estar en el cuadro de honor te acarrearía problemas, nena.

Ella se rio.

—Créeme, no me ha traído ningún problema en absoluto.

¿Era arrepentimiento lo que se desprendía de su tono de voz? Cielos, eso podía entenderlo. Él tuvo que pasar de ser Will el salvaje a convertirse en Will el responsable cuando tenía dieciocho años, y había echado de menos dejarse llevar por su modo de ser pendenciero. Will le sujetó la barbilla con la mano y se la levantó para que sus miradas se cruzaran.

—Entonces, por una vez, deja que yo sea el peligro del que has librado, cariño. Yo te mantendré a salvo.

Emily sonrió.

—¿Serás mi peligro y mi seguridad al mismo tiempo?

Qué diablos, sí. Sería su pecado y su salvación si con eso conseguía mantener aquella sonrisa en su rostro y aquella promesa de rendición en sus ojos.

—Lo que tú necesites, Emily.

—De acuerdo entonces —ella aspiró con fuerza el aire y luego lo dejó escapar.

Will se dio cuenta de que había tomado una decisión.

—De acuerdo entonces —volvió a decir Emily deslizándole las manos hacia el pecho para buscar los botones de su camisa—. Lo que necesito en este momento es a ti.

Para ser una mujer acostumbrada a utilizar preferentemente el cerebro, tenía unos dedos muy hábiles. ¿Sería por pasar las páginas de los libros, o por el trabajo de ordenador?, se preguntó Will durante un segundo, justo antes de que Emily le deslizara la camisa por los hombros y acercara su piel desnuda contra la suya.

Él gimió al sentir su suavidad y deslizó las palmas de las manos por su espalda sedosa. Emily alzó la boca hacia la suya y Will la besó con mucha suavidad, conteniéndose porque se trataba de Emily… ¡Finalmente era Emily! Pero entonces recordó que él era su peligro, y le atravesó la boca con la lengua.

Ella se arqueó entre sus brazos, apretando el vientre contra su erección. El perfume de Emily los envolvía en una dulce nube de calor. Una de las manos de Will se deslizó por su cabello para mantenerle la boca firme contra la suya mientras le deslizaba la otra bajo las braguitas para cubrirle con la palma la esfera del trasero.

Emily exhaló un pequeño sonido de deseo que él aspiró, saboreándolo con gusto. Aquella era su recompensa por despertar en ella su pasión.

Will apartó la boca de la suya para poder besarle la suavidad de la mejilla, la cálida columna de su cuello, el escote… Sus manos hicieron dos plataformas para los senos de Emily y los levantó entre sus palmas, alzándolos para admirarse ante su visión.

Estaban en alto para él.

Para su boca.

Inclinándose, Will cubrió uno de aquellos picos con los labios, regodeándose ante su pequeño gemido de placer y recompensándolo con el húmedo saludo de su lengua. Las manos de Emily le sujetaron la cabeza y él interpretó la señal. Y le encantó.

Más.

Más fuerte.

Will succionó más profundamente con la boca, manteniendo su erecto pezón contra el cielo de la boca con la lengua para distraerla mientras le deslizaba los dedos por la cadera. Sus pulgares agarraron la banda elástica de las braguitas de Emily y cambió de seno, jugueteando y succionando mientras le deslizaba la prenda por los muslos.

—Will… —la escuchó susurrar. Había fantaseado muchas veces con escuchar su nombre en labios de Emily como una plegaria.

Todo era como una fantasía, como aquellos sueños

húmedos que le despertaban cuando era adolescente, medio avergonzado al ver lo mucho que deseaba a su chica de verano.

Pero ahora no había vergüenza, no había necesidad de darse una ducha fría ni de hacer cálculo mental para apaciguar su deseo. Ahora podía echarle leña. Y eso fue lo que hizo, deslizando una mano entre sus muslos y jugueteando con los suaves pliegues de su sexo, abriéndolos hasta que el líquido de la excitación de Emily se derramó por sus dedos.

—Will…

Ahora era más sencillo todavía juguetear, porque tenía aquella zona hinchada y húmeda bajo su mano exploradora. Le acarició la parte superior de su hendidura y ella se retorció en sus brazos. Will disminuyó la presión de la boca sobre su seno, succionándolo con más suavidad, más despacio, recorriéndole en círculos el pezón con la lengua con el mismo ritmo con el que le acariciaba la protuberancia de su sexo con el pulgar.

Emily estaba derretida, fundiéndose con él por todas partes, y su erección se apretó contra su vientre, dispuesta a encontrar su camino hacia el cielo.

Pero Emily se lo pensaba todo mucho, ya lo había dicho, y él quería borrarle todas las preocupaciones antes de llevársela a la cama. Quería que aceptara el abismo peligroso al que podría acercarla, y que le permitiera llevarla todavía más allá sin dejar de confiar en ningún momento en que él estaría también allí para sostenerla.

Will alzó la vista para mirarla, y estuvo a punto de perder el control en aquel mismo instante. Tenía los ojos adormilados y las mejillas teñidas de un rosa apasionado. Los pezones estaban húmedos, enrojecidos por sus caricias casi bruscas, y más abajo estaba la mano de Will, acercándose al cielo mientras ahondaba entre sus piernas.

Podía ver el brillo de humedad en su mano cuando se movía contra ella, y aquella visión resultaba tan erótica, tan salvaje, que tuvo que contener sus movimientos para no alcanzar el orgasmo en aquel instante.

Pero Emily la bibliotecaria, la que se lo pensaba todo mucho, no estaba por la labor de ralentizar las cosas ni de apiadarse de lo que le estaba ocurriendo a él. Emily le rodeó el cuello con los brazos y se apretó contra su cuerpo de tal manera que sus pezones húmedos recorrieron los músculos pectorales de su torso y su suave, cálido y sedoso sexo encontraba lo que necesitaba en las yemas de los dedos de Will.

Emily gimió y se apretó con más fuerza contra él, y Will sintió más líquido derramándose en su mano. Siguió su camino, deslizando uno de sus largos dedos, y luego dos, en los confines de su cuerpo, gimiendo él también cuando los músculos interiores de Emily se contrajeron y alcanzó el orgasmo.

Will observó su éxtasis en la expresión de su rostro, las pestañas le cubrieron las mejillas, sus labios se abrieron en respiraciones silenciosas y entrecortadas, un sonrojo le recorrió la cremosa piel, haciéndola todavía más hermosa.

Con cualquier otra mujer, se habría sentido obligado a contenerse y no tratar de buscar al instante su propio placer. Pero aquello era placentero para él, tener los brazos alrededor de Emily, protegiéndola con su cuerpo, manteniéndola a salvo como le había prometido mientras volvía en sí misma… y volvía a él.

Y lo hizo con timidez, descubrió Will sin sorpresa cuando Emily se estremeció por última vez y alzó la vista para mirarlo bajo sus largas pestañas. Pero entonces su mano le acarició el pecho, buscando un camino que llevara hasta la cremallera de sus pantalones vaqueros. Will le agarró la mano y se la llevó a los labios.

—Me ha encantado, y quiero volver a hacerlo.

Ella se puso de puntillas para besarle la barbilla.

—Will...

—Empecemos desde el principio otra vez —aseguró él con voz firme.

Entonces caminó hacia atrás, manteniendo el cuerpo desnudo de Emily contra el suyo, hasta que la parte de atrás de sus piernas dio con la cama. Se dejó caer sobre ella, llevándose a Emily consigo. Entonces volvió a hacerlo, volvió a repasarlo todo llevándose a Emily con él... pero ambos desnudos y moviéndose al unísono, como si hubieran sido amantes desde siempre y no solo en sueños.

Emily se sentó frente a Will en la mesa de la cocina con el cabello húmedo, los pies descalzos y el cuerpo envuelto en su albornoz. Con la barbilla apoyada en la mano y el codo al lado de la copa de vino que él acababa de servirle, lo veía moverse por la cocina.

Will le dirigió una mirada irónica mientras metía una pizza congelada en el horno.

—Siento decirte que no es italiana ni es nada especial al lado de los espaguetis que hiciste tú ayer. Era nuestro alimento básico para las cenas de los martes y los jueves cuando los niños eran pequeños, y me veo incapaz de romper esa costumbre.

Emily hizo un gesto para quitarle importancia al asunto. Le parecía divertido que hablara de sus hermanos como «los niños». De acuerdo, podría haberles llamado «los cocodrilos» y ella seguiría sonriendo. Al parecer, el sexo con Will le ponía de buen humor.

Había mantenido relaciones sexuales con anterioridad, por supuesto. Y podía recordar perfectamente lo incómoda que podía ser la situación tras el primer encuentro con un hombre. Pero se trataba de Will. La conocía desde antes de que ella llenara el traje de baño. Desde antes de que empezara a depilarse las piernas. Cuando ella pensaba que lo máximo de la devoción era tirarle piñas al objeto de sus afectos.

Will le había dado su primer beso y tenía todo el sentido que le diera también su primera experiencia poscoital libre de estrés.

Will se detuvo para volver a mirarla después de sacar una ensalada envasada de la nevera.

—¿Te encuentras bien? Estás muy callada, pero pareces…

—Estoy muy bien —le dijo Emily dándole un sorbo a su vaso de vino y permitiendo que este le calentara el cuerpo ya caliente.

Lo decía de verdad. Parecía como si el alivio de la tensión sexual que ardía entre Will y ella hubiera liberado también otra tensión. Durante los dos últimos años había estado estresada, preocupada por la delicada salud de su madre y luego preguntándose qué iba a hacer con su vida.

Por no mencionar las exhortaciones de Izzy para que saliera por ahí y viviera un poco en lugar de centrarse en los libros para satisfacer su necesidad de experiencias emocionales. Así que finalmente le había hecho caso, y el resultado había sido espectacular... y los efectos de después tampoco estaban mal. De su cuerpo emanaba el calor residual del placer sexual y la absoluta falta de necesidad de saber qué pasaría ahora con Will y con ella.

Emily ya sabía que él no buscaba nada serio ni a largo plazo, así que no tenía que escudriñar cada momento en busca de significado o intención. Podía limitarse a beber el vino y aspirar el olor de la pizza horneándose y ser tan feliz como si acabara de ir a la peluquería o le hubieran dado un masaje.

Sí. Podía contemplar el sexo como una especie de tratamiento de belleza personal.

De acuerdo, no iba a contárselo a Will porque no era del todo cierto, pero aquel punto de vista le proporcionaba la actitud perfecta para compartir la pizza con Will y después vestirse e irse a su casa.

Él hizo algunas insinuaciones educadas para que se quedara, pero Emily tenía que trabajar al día siguiente y él también. Así que se marchó sin pensárselo dos veces y sin acordar una futura cita con él. Después de todo, no tenía por costumbre concertar una siguiente cita con su estilista antes de salir del centro de belleza. Y Will parecía tan contento con verla marchar como ella por marcharse.

A Will le molestaba mucho que Emily se hubiera marchado la noche anterior despidiéndose con despreocupación y una media sonrisa. Eso no estaba bien, ¿verdad?

Él no había pensado en que fuera bueno ni malo, ni en nada que no fuera la cama, cuando la pilló medio desnuda en su vestidor. Con los pliegues del vestido de frufrú a los pies, parecía una ninfa de las aguas saliendo de entre las olas. Lo único que Will tenía en aquel momento en mente era quitarle la única pieza de ropa que le quedaba… aquellas braguitas que tenía deseos de robarle. Ni por un segundo se le pasó por la cabeza qué iban a hacer después de acostarse juntos.

Pero ¿acaso no era aquella una prerrogativa de los hombres, estar tan atrapado en el presente que el futuro no tenía cabida? Entonces, ¿cómo era posible que cuando llegó ese momento fuera Emily la que se fuera sin preguntar siquiera si se verían pronto?

De acuerdo, Will era consciente de que no era una idea muy inteligente por su parte, y tal vez necesitara replantearse su punto de vista, pero su confusión no se debía tanto a los estereotipos sobre ambos sexos, sino a la mujer con la que había estado la noche anterior. Tendría que haber estado analizando y catalogando todo lo que significaría aquello ahora. Él conocía bien a Emily la investigadora, la bibliotecaria, ¿no?

Mientras seguía pensando en qué haría con ella, llamó a su hermana Jamie durante la pausa del almuerzo en la estación de bomberos.

—¿Qué ocurre, Will? —le preguntó ella con voz preocupada—. ¿Pasa algo?

Will frunció el ceño.

—¿Tiene que pasar algo malo para que llame a mi hermana?

Se hizo una pausa.

—Bueno, francamente, sí.

Will sintió una punzada de culpa.

—Todo está muy bien —murmuró. Pero la frase «muy bien» le hizo volver a pensar en Emily, y en cómo ella también le había dicho que estaba muy bien, aunque acababan de compartir una experiencia sexual que para él había resultado absolutamente inolvidable.

Y sin embargo, Emily se había marchado sin mirar siquiera atrás, sin un reconocimiento de… qué diablos, de lo especial que había sido su encuentro bajo las sábanas.

Así que había llamado a su hermana para… diablos, no podía pedirle directamente consejo, ¿verdad?

En primer lugar, no era de los que hacían el amor y rápidamente lo contaban. A nadie. Y en segundo lugar, él no buscaba ayuda en sus hermanos. Él era el responsable, al que todos acudían, y no al revés. Y además, deseaba realmente librarse de todas aquellas ataduras familiares.

Se lo merecía, después de todos aquellos años de reuniones de padres con los profesores y clases particulares.

—Will —dijo entonces Jamie—, si solo has llamado para crear misterio, podemos posponerlo para otro momento. Tengo unas galletas en el horno para los miembros de mi club de lectura y el bebé está a punto de tirarme encima los guisantes secos, y…

—¿Guisantes secos? Yo solía tirártelos también cuando eras pequeña —dijo Will, considerándose afortunado por haber podido evitar al menos el cuidado de bebés. Los niños habían dejado atrás los pañales y la mayoría de ellos comían ya comida de adultos cuando le tocó hacerse cargo de ellos. Entonces algo se le pasó por la cabeza.

—¿Has dicho algo del club de lectura?

—Nos vamos a reunir aquí mañana por la noche. Me toca a mí hacer de anfitriona. ¿Por qué?

¿Y por qué no?, pensó Will. La idea resultaba perfecta.

Le diría a Jamie que invitara a Emily a unirse a su club de lectura la noche siguiente. De ese moso, podría verla sin resultar obvio. Tal vez se dejaría caer cuando aquello estuviera terminando, pero también le proporcionaría a Emily la oportunidad de hacer nuevos amigos. Aquel era uno de sus objetivos, ¿verdad? Que Emily se sintiera a gusto en su nueva comunidad significaría que él podría desligarse de su inconveniente relación.

Todavía quería hacerlo, a pesar de lo ardiente que había sido su relación entre las sábanas. Porque, maldición, él era un hombre decidido a disfrutar de su recién adquirido estatus de soltero. Así que introducir a Emily en el grupo de lectura de su hermana era una gran idea.

Cuanto más pensaba en ella, mejor le parecía.

Se la ocurrían varias razones, y una de ellas era que una reunión exclusivamente de mujeres resultaba un camino más apropiado para hacer amigos que un partido de fútbol. Allí Emily podría encontrarse con gente como Patrick, y a Will no le gustaban las cosas de las que se había enterado a través de él. En una reunión de mujeres como la que iba a celebrar Jamie era poco probable que alguien le recordara a Emily que había sido Will el salvaje y que volvería a serlo en el futuro.

Capítulo 8

EMILY todavía se sentía a gusto consigo misma y con el mundo cuando entró en casa de Jamie. Había aceptado a última hora la invitación de Emily para asistir aquella noche a la reunión de su grupo de lectura. Aquella sugerencia tenía por todas partes las huellas de Will, y la había aceptado encantada. Por muy satisfecha que se sintiera respecto a cómo había manejado las cosas con él, no tenía sentido no darse algún motivo para pensar. Algo aparte de lo que Will y ella habían hecho en su cama.

Al día siguiente él le había enviado un pequeño y encantador ramo de flores silvestres. Se trataba de un gesto muy dulce que ella se tomó como el mensaje que suponía quería decirle. Habían tenido un encuentro amoroso casual. Así que lo más inteligente parecía sacarse a Will de la cabeza y pensar en otra cosa.

Casualmente, aunque quizá no tanto, teniendo en

cuenta que era una lectora voraz, había leído la novela sobre la que los miembros del club de lectura iban a hablar aquella noche. Pero resultó que estaba en minoría, ya que la mayoría de las mujeres, muchas de ellas madres jóvenes, habían pasado o ellas o sus hijos la misma gripe que había afectado a Emily. Mientras el grupo más numeroso se quejaba sobre las largas esperas en la sala del pediatra y la batalla de cuidar de maridos enfermos y niños convalecientes mientras la propia enfermera se sentía a morir, un grupo más pequeño en el que estaba incluida Emily entabló una discusión sobre la heroína del libro y sus avatares con la compra de zapatos, un novio casado con el que cortaba y empezaba de nuevo y la cuenta atrás de su reloj biológico.

—Tarjetas de crédito que echan humo, una vida amorosa espantosa —se quejaba una rubia muy guapa—, estoy harta de que a las mujeres solteras se las retrate siempre o en busca de los tacones perfectos o viviendo veladas interminables con tipos perdedores y cócteles imposibles. Y todo porque la mujer está loca por conseguir algo que, en cuestión de pocos años —la rubia bajó la voz y miró de reojo al grupo de madre que estaba cerca—, estará un día vomitando y otro con una rabieta.

—¡Laurie! —la regañó la joven que estaba sentada a su lado en el sofá.

—¿Qué? ¿No has oído lo que contaban nuestras amigas? Yo no le veo ninguna ventaja a este asunto de ser madre.

Emily escondió una sonrisa detrás de la taza de té. Los comentarios de Laurie eran sinceros, refrescantes inclusos, porque no parecía tener más de veinticinco años y tenía tiempo de sobra para cambiar de opinión. O no cambiar.

—Creo que el hecho de que la heroína accediera a salir con un tipo que trabajaba en el circo mostraba más desesperación que auténtico deseo —aseguró Emily.

—Sí —añadió Laurie—. Sobre todo cuando le confesó que su uniforme de trabajo consistía en una peluca azul y una nariz de bola color rojo.

Su compañera de sofá compuso una mueca.

—Yo una vez salí con un tipo que hacía globos con formas de animales. Pero por lo menos no tenía que vestirse se payaso.

Laurie chasqueó la lengua.

—De todas maneras, Gail…

—¡No es fácil conocer hombres! Esto fue el año que trabajé en la oficina de administración de un colegio solo de chicas.

—¿Y qué nos dices de ti? —preguntó Laurie girándose hacia Emily—. ¿Qué opinas de la maternidad, de las citas y del mejor sitio para conocer a un hombre?

—¿Maternidad, citas, hombres? —Emily se encogió de hombros—. Creo que yo prefiero pensar en ello al revés. Primero el hombre, luego la cita, después el matrimonio y por último lo demás.

Emily desvió la mirada hacia la cercana repisa de la chimenea, donde había una selección de fotos enmarcadas, y en todas ellas salían los hermanos Dailey. Aunque no estaba desesperada por convertirse en esposa y madre, la familia era algo que echaba verdaderamente de menos.

Al ser hija única, nunca había formado parte de una tan numerosa como el clan Dailey.

No permitió que su mirada permaneciera mucho

tiempo en la repisa de la chimenea, porque solo tenía ojos para la fotografía de Will. Se suponía que estaba allí para distraerse.

—Pero yo trabajo en la biblioteca —dijo centrándose otra vez en las dos jóvenes—. Supongo que eso es muy distinto a la administración de un colegio solo de chicas.

—Yo, sencillamente, no estoy preparada para sentar la cabeza —aseguró Laurie deslizando una de sus largas piernas sobre la otra. Habría sido muy fácil odiarla por su cuerpo de supermodelo y su sonrisa perfecta, pero lo cierto era que se trataba de una joven divertida y amable—. Tal vez porque tengo la suerte de conocer hombres todos los días. Soy representante de ventas de una empresa de artículos para fiestas.

Artículos para fiestas. Por supuesto, la animada y atractiva Laurie no podía dedicarse a nada más que a eso.

—O sea, que sí existen… me refiero a los solteros —comentó Emily—. Desde mi perspectiva del escritorio de la biblioteca a veces me pregunto si no serán un producto de mi imaginación, igual que los personajes de una novela.

Laurie hizo un gesto con la mano.

—Hay docenas. Y lo único que quieren todos es pasar un buen rato.

Emily sonrió débilmente.

—Eso me suena.

—La mayoría de ellos son grandes tipos. En serio —Laurie se acercó más al borde de su cojín—. Un grupo de nosotras va a celebrar una gran barbacoa este fin de semana en el parque. Yo voy a ir, y Gail también. Deberías venir.

—Oh. Bueno, yo… —vaciló Emily—. No es que estuviera reservando el fin de semana para nada ni para nadie. Pero…

—Eres nueva en la ciudad. Puedo presentarte a algunos hombres, todos ellos veteranos, ya sabes a lo que me refiero. Ni uno solo de ellos ha llevado nunca peluca azul ni ha hecho la figura de un mandril con un globo.

—Sabía que no tendría que haberlo mencionado —murmuró Gail.

Emily tuvo que reírse.

—No quisiera molestar.

—Conozco al tipo perfecto para ti —dijo Laurie mirando a Gail—. Carl Fletcher. Ahora ya no busca una esposa.

—Yo no estoy buscando marido —se apresuró a aclarar Emily.

—Pero Carl conoce los mejores restaurantes de la ciudad y puede ser muy divertido —Laurie se giró hacia su amiga—. ¿A ti qué te parece?

Gail pareció pensárselo durante un instante.

—Es dulce, pero no demasiado. Guapo, pero sin pasarse. Un gran trasero. Yo digo que sí.

—Sin embargo… —Emily no parecía muy convencida.

La mirada de Laurie se dirigió hacia algún lugar por encima del hombro de Emily.

—Hablando de guapos…

Un vistazo le hizo saber a Emily quién había llamado la atención de la otra mujer. El corazón le dio un vuelco cuando Will entró en la habitación. Al ser el único macho del vecindario, su virilidad sobresalía como un dedo pulgar. Un pulgar masculino y atractivo.

Gail miró a Laurie.

—¿Sigues viéndote con él?

Laurie no apartó la vista de Will mientras negaba con la cabeza.

—No con regularidad. Quedamos un par de veces a principios de verano. Los dos andábamos liados. Pero siento la repentina necesidad de liberar mi agenda para Will el salvaje.

Will el salvaje. A Emily volvió a darle otro vuelco al corazón.

La mujer agitó el brazo en dirección a la puerta.

—Will —le gritó—. ¡Will! Ven aquí.

¿Qué podía hacer Emily más que fingir una sonrisa y sentarse mientras Laurie y las demás invitadas acudían como moscas al panal de rica miel de Will? No transcurrió mucho tiempo antes de que besara en las mejillas a Gail y a la rubia y luego mirara hacia el sofá donde estaba Emily. Al verla se detuvo un instante y luego repitió el gesto amable de rozar con los labios la comisura derecha de Emily.

—Hola —dijo apretándole cariñosamente el hombro—. ¿Qué tal estás?

Laurie alzó las cejas.

—¿Os conocéis?

—Somos viejos amigos —se apresuró a responder ella antes de que Will pudiera pensar que tenía intenciones posesivas respecto a él.

Will tomó asiento a su lado y Emily trató de no quedare mirando fijamente sus manos, que tenía apoyadas en las rodillas. Pero le resultaba imposible ignorarlas, porque recordaba demasiado bien cómo se amoldaban a sus senos y se deslizaban por la curva de su muslo.

Emily juntó las piernas, las retiró a una esquina del sofá y trató de hacerse lo más pequeña posible mientras los demás hablaban. No quería que ninguna de las personas que estaban allí notara el sonrojo que le cruzaba el rostro ni aquella extraña tirantez del pecho.

¡Pero podía oler a Will! Podía detectar su particular esencia, que servía para conjurar todas las imágenes posibles que hacían que una mujer se quedara sin respiración.

Will sin camisa.

Sin pantalones.

Desnudo.

Will agachado entre sus piernas abiertas con una sonrisa malévola dibujada en los labios mientras inclinaba la cabeza para besarla en el interior de la rodilla. Desde allí se le despertaron escalofríos que…

—Emily viene.

La voz de Laurie la sacó de su sensual ensoñación y dio un respingo.

—¿Cómo?

—A la barbacoa del sábado —dijo Laurie—. ¿Recuerdas?

La joven alzó las cejas y, aunque no añadió nada más, Emily supo que estaba refiriéndose a Carl Fletcher. Que era guapo sin ser guapo.

Laurie dirigió su atención al hombre que estaba a su lado.

—Ven tú también, Will. Lo pasaremos bien.

Y eso era exactamente lo que Will buscaba, ¿verdad?

El miró de reojo a Emily un una expresión indescifrable.

—No sé si…

—Por supuesto que tienes que ir. Es en el parque que está justo al doblar la esquina de tu casa. Y voy a llevar algo nuevo para que juguemos —aseguró Laurie—. Es un juego con unos palos y unas cuerdas que tiene pelotas de ping pong en los extremos.

—¿Ah, sí? —aquello captó la atención de Will—. Me pareció ver a alguien con ese juego en una fiesta en el parque de bomberos, pero no tuve oportunidad de probarlo.

—Bien —dijo Laurie cruzando de nuevo sus largas piernas—. El sábado tendrás la oportunidad de jugar conmigo.

Emily seguía sin poder odiarla a pesar de aquellas piernas de supermodelo y el ronroneo de operadora de teléfono erótico. Porque lo que la otra mujer estaba haciendo no era nada malo. La rubia no tenía ni idea de que, dos noches atrás, Will se había llevado a su vieja amiga a la cama. Lo único que sabía era que aquel tipo tan guapo tenía el sábado libre y que a los dos les gustaba jugar.

Will miró a Emily.

Ella se encogió ligeramente de hombros y miró a Laurie, la representante de ventas de artículos para fiestas que no estaba preparada para sentar la cabeza.

—El plan tiene buena pinta —murmuró Emily lo suficientemente alto como para que solo él la oyera—. Que ni pintado para Will el salvaje.

Will fue consciente de la llegada de Emily al parque en cuanto hizo su aparición. Se dio cuenta porque vio a un par de tipos cerca que de repente se pusieron muy rectos e intercambiaron una mirada cómplice.

—Carne fresca —dijo uno de ellos—. Bien.

Will se giró para ver a quién se referían, y entonces sintió una profunda quemazón en las entrañas al darse cuenta de que se referían a Emily. Emily, que llevaba puesta una falda de vuelo demasiado corta, una camisa sin mangas pegada a la piel y un par de sandalias rojo cereza. Llevaba las uñas de los pies pintadas del mismo color.

—Me gustaría probar esos dedos —dijo el otro hombre.

—A mí también —reconoció su amigo.

—¡Eh! —protestó Will.

Cielos, estaban hablando de Emily, su amiga de la infancia, como si fuera una novedad en el menú.

Los dos hombres le dirigieron idénticas miradas de asombro.

—¿Qué ocurre? ¿Tienes alguna reclamación previa sobre el nuevo manjar?

Carne fresca. Nuevo manjar. ¿Era así como los hombres sin compromiso miraban a las mujeres? Sí, de acuerdo, era consciente de que esa actitud siempre había estado allí, pero ahora… ahora… Bueno, Will tenía hermanas, maldita sea, y la idea de que a ellas, por no mencionar a Emily, pudieran mirarlas con tanto… ¿qué otra cosa podía ser sino falta de respeto?, le molestaba.

—¿Will el salvaje? —dijo uno de los hombres.

Will el salvaje. Dios, estaba empezando a odiar aquel apodo. Pero evitó tener que protestar al sentir el familiar aroma de Emily acercándose con una sonrisa radiante que le borró por completo el mal humor.

—Hola, Will —su mirada amable se movió para incluir a los otros dos tipos—. Hola.

—Hola —respondió uno de ellos lanzándole una mirada a Will—. ¿No vas a presentarnos?

—No —contestó él agarrando a Emily del codo y apartándola de ellos.

Ella soltó una carcajada de incertidumbre mientras la llevaba a los refrigeradores llenos de refrescos y cerveza.

—¿Va todo bien? —le preguntó Emily.

—No —respondió Will por segunda vez. Porque se había prometido a sí mismo que no haría aquello. Que iba a ir a la barbacoa a divertirse, a mezclarse con los demás y a hacer vida social, y no a quedarse pegado a Emily. Por supuesto, él estaba con su actitud de soltero, y Emily parecía de lo más relajado que pudiera esperar un hombre, a pesar del hecho de que se habían acostado juntos.

Will la miró y tuvo que contener un gemido. Se habían acostado juntos. ¿Por qué no podía sacarse aquella idea de la cabeza? Parecía que ella lo había hecho, pensó mientras revolvía entre el hielo en busca de algo de beber. Cuando Emily se inclinó, la falda, corta y vaporosa, se amoldó a las curvas de su fino trasero, y Will recordó cómo había apretado aquellas nalgas suaves y cálidas con las manos mientras le alzaba las caderas para poder penetrarla con mayor profundidad.

Cielos, había estado dentro de Emily, y parecía como si ella se hubiera metido dentro de él y no pudiera echarla de allí. Tenía su aroma todavía en la cabeza, el sonido de sus dulces gemidos de placer en los oídos, la visión de su boca, rosa por los besos, estaba enclavada en el centro de su mente.

—¡Estás aquí! —una voz nueva captó la atención

de Will, arrancándolo de sus pensamientos. Se trataba de Laurie, la rubia con la que había salido a principios de verano. Le dedicó una amplia sonrisa, pero era a Emily a quien se estaba dirigiendo—. Te he estado buscando por todas partes.

—Acabo de llegar —respondió Emily—. ¿Qué tal?

—¿Te acuerdas de mi plan? —la expresión de Laurie se volvió maliciosa al mirar de reojo a Will antes de volver a clavar la vista en Emily—. ¿Estás dispuesta a dejar atrás a tu viejo amigo para conocer a uno nuevo?

—Claro —contestó Emily encogiéndose ligeramente de hombros—. Para eso he venido. Para hacer nuevos amigos.

Relajándose un tanto, Will vio cómo las dos mujeres se alejaban. Laurie le había soltado un ronco y prometedor «luego te veo», pero Emily ni siquiera le había dicho adiós con la mano. Aunque eso no le molestaba.

Lo que le molestaba, decidió un segundo más tarde, era que Laurie se hubiera llevado a Emily directamente hacia Carl Fletcher. ¡Carl Fletcher! Se trataba de un tipo rubio como Laurie. ¿Qué hombre de verdad tenía el pelo del color de la mantequilla? Tenía además una sonrisa de ganador que hablaba en voz alta de un buen trabajo de ortodoncia.

Teniendo en cuenta que Will había pagado personalmente al equipo formado por el doctor Fletcher y su esposa el equivalente al coste del mantenimiento de un elefante para conseguir cinco juegos de sonrisas idénticas para sus hermanos, no era eso lo que le hacía sospechar del otro hombre. Era su reputación.

Paxton, California, era una ciudad mediana en la que abundaban los cotilleos de pueblo. Y había que asumirlo, los bomberos cotilleaban. No solo con sus esposas o con sus allegados, sino también con mucha gente de la comunidad en el transcurso de un día. Y también entre ellos. Entre avisos, cuando limpiaban las máquinas o cuando preparaban la comida, se entretenían hablando de esto y de aquello: deportes, coches, películas…

De acuerdo, y también de quién veía a quién, quién no veía a quién ya, a quién no debería acercarse ninguna mujer que quisiera conservar la ropa interior puesta, aunque extrañamente, las damas solían considerarlo un tipo simpático.

Ese era Carl Fletcher.

El mismo Carl Fletcher que ahora estaba echándole la zarpa a la nueva chica en la ciudad, Emily. Ella sonreía como si Carl no tuviera los ojos fuera de las órbitas mirándole los senos, algo que, maldita sea, estaba haciendo. Will agarró con más fuerza el vaso de cerveza, clavó la vista en la pareja y se dirigió hacia ellos.

Una mano aterrizó en el centro de su pecho.

—¿Adónde vas con ese ceño tan fruncido? —le preguntó Laurie—. He vuelto para hablar contigo. Te he echado de menos.

Will parpadeó para mirarla. Era guapa como una muñeca Barbie, con kilómetros de cabello rubio, ojos azules y un cuerpo que parecía hecho a medida del vestido ajustado que llevaba puesto. Laurie no llevaba faldas vaporosas. La ropa se le ajustaba a cada centímetro de su generoso cuerpo.

Era perfecta…

Para otra persona.

Por encima de su cabeza, Will atisbó a Carl riéndose con Emily mientras él estiraba un brazo para colocarle un mechón de su resplandeciente cabello detrás de la oreja. El escozor que sentía Will en las entrañas se intensificó.

—¿Qué pasa con Carl y contigo? —preguntó.

Laurie alzó las cejas.

—¿Cómo?

—¿Por qué lanzas a otras mujeres a sus brazos?

Porque Laurie y Carl estaban hechos el uno para el otro. Eran como Barbie y Ken, los dos superficiales, los dos activos, los dos dando tumbos sin ningún interés en sentimientos profundos o compromisos duraderos.

—Haríais muy buena pareja.

En el cuello de Laurie apareció un sonrojo sospechoso.

—¿Te ha dicho algo de mí?

—No —Laurie la liberada no parecía tan despreocupada en aquel momento. Will entornó los ojos—. ¿Estás bien?

—Por supuesto —aseguró la rubia—. Hace unos meses corrió el rumor por ahí de que yo sentía una... atracción por Carl, pero era completamente falso.

Sí. Claro.

Laurie miró de reojo hacia atrás.

—Quiero estar segura de que él comprende que se trata de una completa... ficción. Así que cuando conocí a tu amiga Emily, pensé que presentarle a alguien sería una buena idea. Para demostrarle que a mí no me importa. Ya sabes.

—Creo que ahora sí sé —la alocada y simpática

Laurie había conseguido engañarle pero bien. Will habría jurado que no estaba más interesada que él mismo en atarse a nadie, pero a juzgar por el sonrojo de sus mejillas y la línea de preocupación que le cruzaba las cejas, la mujer estaba loca por Carl.

—¿Estás segura de que él no se siente un poco… halagado por ese pequeño «rumor» que corre por ahí?

Laurie negó con la cabeza.

—Seguro que no. Carl es… bueno, es un tipo simpático.

No, no lo era.

—Pero tú le conoces —continuó Laurie—. Le gusta salir con varias personas a la vez.

Ahora le tocó a Will el turno de fruncir el ceño.

—Sí, lo conozco.

En aquel momento, Carl estaba desplegado todo su encanto de muñeco de Ken con Emily, que le sonría.

—Perdona —dijo Will sin apartar la vista de la otra pareja. Entonces se dirigió directamente hacia ellos, que no interrumpieron su conversación cuando apareció él, así que Will lo hizo por ellos—. Perdona, Emily, ¿puedo hablar contigo un momento?

La sorpresa se dibujó en el rostro de Emily, y no era una sorpresa precisamente agradable, así que Will hizo lo que había prometido que no haría… se pegó a Emily agarrándola de la mano.

—Necesito hablar con la dama un segundo, Carl —le dijo al otro hombre apartándola del señor Llevo la Cuenta, que era el apodo con el que uno de los amigos de Will se refería a Carl.

Aquel era el parque más antiguo de la ciudad. Tenía césped, árboles, y un arroyo que lo cruzaba. Un camino de asfalto serpenteante llevaba a la zona de juegos que había en uno de los extremos, con columpios y toboganes.

—¿Qué está pasando? —preguntó mientras Will la guiaba por el amplio sendero—. ¿Tienes algún problema con Laurie? Estás actuando de manera muy extraña.

Will no se atrevió a soltarla.

—Estoy actuando por tu bien, ¿de acuerdo?

—No sé de qué hablas —Emily plantó los pies en la hierba para obligarle a detenerse a él también. Tiró del brazo para soltarse de él y se lo quedó mirando.

—¿Will?

Él se pasó la mano por el pelo, sintiéndose tan incómodo como cuando tuvo que explicarle a Tom cómo se hacían los niños.

—Escucha. Creo que deberías mantenerte alejada de Carl.

—¿Cómo?

Will cambió el peso de su cuerpo de un pie a otro.

—Es… ya sabes.

—¿Qué?

—Peligroso —Will recordó demasiado tarde cómo había prometido ser el peligro de Emily aquella noche en su cama.

Ella parpadeó.

—¿Peligroso en qué sentido?

Al ver que Will vacilaba, Emily insistió.

—¿Es un pirómano? ¿Un radical? Un… no sé… ¿un maltratador?

—Por supuesto, no pega a las mujeres —dijo finalmente Will—. Pero las seduce.

—Muchos hombres seducen a las mujeres, Will.

No es ningún delito. Ni siquiera un mal comportamiento. De hecho, es la manera habitual en la que un hombre y una mujer empiezan a conocerse. Uno de ellos dice algo con coquetería y entonces...

—Esto va más allá de la coquetería, ¿vale?

Emily sacudió la cabeza.

—Will, tengo algo de experiencia, ¿de acuerdo?

—Pero...

—No soy una de tus hermanas.

Una parte de él deseaba que lo fuera. Entonces se sentiría con derecho a encerrarla en su habitación en lugar de tener que razonar con ella.

—Emily...

—Luego, Will —echándose a un lado, Emily hizo amago de rodearlo y volver con el grupo de gente, incluido Carl.

Pero Will le cerró el paso.

—Escúchame.

—¿Por qué debería hacerlo? —Emily se puso en jarras y lo miró con los ojos echando chispas—. Tú...

—Carl está muy salido, ¿de acuerdo? Es uno de esos tipos a los que le gusta la conquista, pero no lo que viene después. Carl ha tenido más mujeres que pañuelos de papel ha habido en mi casa durante los meses de invierno.

Emily puso los ojos en blanco.

—Will...

Él le colocó la mano sobre el hombro.

—No me gusta, Emily.

La mirada de Emily se volvió fría.

—¿Por qué no? Tú acabas de decirlo, ¿no es así? Es el tipo de hombre al que le gusta la conquista pero no lo que viene después, ¿verdad? Es un «salido»,

¿no es cierto? ¿No es ésa exactamente la meta que te has propuesto tú?

Will dejó caer la mano y Emily se alejó de allí a grandes pasos. Se había alejado apenas unos metros cuando él reaccionó.

—¡Emily! —exclamó saliendo a toda prisa tras ella.

Ella miró hacia atrás y no vio el saliente que separaba la hierba del camino asfaltado. Soltando un pequeño grito, Emily se tambaleó sobre sus sandalias color cereza y cayó sobre la rugosa superficie gris.

Y aunque Will se había prometido a sí mismo no comprometerse con Emily ni con nadie más, cuando llegó hasta ella y vio que le salía sangre de la palma de la mano, la rodilla e incluso de un corte de la barbilla, una sangre tan brillante como el rojo de su sandalias, se dio cuenta de que no podía dejarla.

Capítulo 9

ROTESTANDO, Emily permitió que Will la sacara del parque y doblara con ella la esquina para entrar en su casa. Le había asegurado que podía utilizar servilletas de papel y agua del grifo para limpiarse las heridas producidas por la caída, pero él no había cedido ni un ápice. Aquel hombre tan obstinado había insistido incluso en llevarla en coche para recorrer la escasa distancia que lo separaba de su casa.

Pero cuando Emily entró y se miró en el espejo, comprendió un poco mejor su punto de vista. Aparte de las rodillas raspadas y la palma herida, la sangre le corría por el cuello desde la herida de la barbilla y había algo de polvo mezclado con la sangre que se estaba empezando a secar en la piel.

Emily gimió al ver el desastre que había provocado su torpe caída.

Will la agarró con más fuerza de la cintura mientras la metía en la cocina.

—¿Te duele, cariño?

—Lo que más me duele es la dignidad —admitió.

Le fastidiaba que aquel accidente significara que tuviera que dejar la barbacoa. Salir al mundo, conocer gente nueva, ésas eran exactamente las razones por las que había dejado atrás su ciudad tras la muerte de su madre. Un nuevo comienzo era lo que necesitaba para superar el dolor y salir de la ratonera en la que se había convertido su vida.

Will la sentó en una silla de la cocina.

—Creo que no tengo tiritas decentes, pero las tengo con dibujos de todo tipo de superhéroes y con margaritas.

—¿Y no hay otras más discretas? No quiero volver al parque con el aspecto de una niña de ocho años.

Will alzó una ceja y adquirió un tono de gran hermano protector.

—¿Por qué? ¿Crees que si llevas a la Mujer Maravilla en la barbilla te quedarás sin cita el próximo fin de semana?

Emily hizo un esfuerzo por no poner los ojos en blanco. El comportamiento excesivamente protector de Will, que sin duda había practicado mucho durante años con sus hermanas, a ella solo conseguía enfadarla.

—Sin comentarios.

Will se encogió de hombros.

—Volveré enseguida con un botiquín de primeros auxilios.

Mientras salía de la cocina, Will se fijó en el contestador que había sobre la encimera. Ella siguió su mirada y se dio cuenta de que la luz de los mensajes parpadeaba. Will apretó el botón mientras salía.

—¡Will! —Emily reconoció al instante la voz de su hermana Betsy—. La otra noche estuviste en casa de Jamie. ¿Cómo es posible que sí puedas ir a verla a ella y a mí no? Te he pedido millones de veces que vengas a ver cómo ha quedado la colcha de mamá colgada en la pared de mi salón —Betsy dejó escapar un sonido de irritación—. Bueno, tengo que colar. Tu encantadora y un poco pesada hermanita está haciendo una tarta.

Emily sonrió. La voz de Betsy se volvió más persuasiva.

—De chocolate, Will. Con un baño de chocolate. Mucho más sabrosa que esas tabletas que tú compras en el pasillo del ultramarinos, y que probablemente estarán ahora mismo en el armario de al lado de la nevera.

Emily conocía aquellas tabletas. Will se llevaba una maleta llena de ellas todos los veranos al campamento. Lanzando una mirada hacia la dirección por la que se había ido, se levantó de la silla y husmeó en el armario que había al lado de la nevera.

¡Bingo!

Sin atisbo de culpabilidad, Emily agarró una de las tabletas y se la llevó con ella a la silla, abriéndola mientras escuchaba el siguiente mensaje.

—Hola, hermano, soy Alex.

Se trataba del único hermano varón de Will que se había perdido la noche de los espaguetis. Emily ya imaginaba lo que iba a decir, y se dio cuenta de que no se había equivocado.

—¿Así que has cenado con Max y Tom? Y qué pasa, ¿que yo no existo? Y eso que pensaba darte un líquido estupendo que he encontrado para borrar los roces del coche. Te quitará las marcas que te dejó Betsy la primavera pasada, cuando te pidió prestada la camioneta.

Will entró entonces con una toalla al hombro y un maletín de plástico del tamaño de dos cajas de zapatos en la mano mientras su hermano terminaba el mensaje.

—Llámame, hombre.

Emily alzó las cejas al ver a su anfitrión.

—Te han sugerido unas buenas ofertas. Tu hermano puede quitarte los roces del coche. Tu hermana te va a hacer una tarta.

Will deslizó la mirada hacia la tableta de chocolate que Emily tenía en la mano. Se había comido la mitad.

—Creo que me vendrá bien.

Sin vacilar, Emily se metió otro buen trozo en la boca.

—Por eso me estoy comiendo el chocolate —dijo después de tragar—. Me siento obligada a promover una reconciliación familiar.

—Mis hermanos y yo no tenemos ningún problema —aseguró Will agarrando una silla y colocándola delante de ella. Le agarró la pierna herida y se la colocó encima de las rodillas para poder curarle la herida.

De acuerdo, era una débil, así que cerró los ojos y se comió lo que quedaba de chocolate mientras él se ponía manos a la obra.

—Pero te estás esforzando mucho por mantenerlos lo más lejos posible.

Le hacía sentir una pequeña punzada en el corazón aquella distancia que Will estaba empeñado en poner entre él y su familia, aunque Will no creía que siguiera teniendo mucho éxito. Y no solo porque sus hermanos no parecían dispuestos a aceptarlos, sino también por el propio Will. ¿Qué clase de hombre interrumpía una tarde de fiesta para llevarse a una amiga a casa con objeto de atender sus rozaduras?

Un hombre atento y cariñoso, que más pronto o más tarde descubriría que aquellos hermanos a los que consideraba una carga eran de hecho muy especiales.

Pensar en ellos y en lo mucho que querían a su hermano mayor hizo que la punzada en el corazón se hiciera algo más profunda.

—¿Sabes lo que creo, Will? —Emily contuvo el aliento, interrumpiéndose cuando el antiséptico le rozó la carne herida. Le hizo lo mismo en la mano antes de que Emily recuperara el aliento.

Con tiritas en las dos heridas, lo miró fijamente.

—Lo has hecho a propósito.

—O hacía eso, o irías a buscar más chocolate para llevártelo a la boca. Y yo soy muy protector con mis alijos.

—Eres muy protector. Punto —murmuró ella—. Y por cierto, no se me ha olvidado la escenita del parque con Carl Fletcher.

—Carl «el que lleva la cuenta» —dijo Will entre dientes.

—¿Cómo?

—No importa —aseguró colocando de nuevo el pie de Emily en el suelo y acercando la silla a la suya—. Ahora hay que limpiar esa barbilla.

Will levantó la toalla húmeda que había dejado sobre la mesa.

—Eso puedo hacerlo yo misma, ¿sabes? —dijo Emily reclinándose hacia atrás.

Will le agarró un mechón de cabello para tirar de ella hacia delante de nuevo, y sin pedirle permiso, se dispuso a limpiarle la sangre que le había resbalado por el cuello. Con suavidad.

¿Quién podría molestarse con un hombre tan suave? También su voz lo era.

—Tienes chocolate en la boca —dijo—. Estás igual que cuando tenías quince años, entraste en mi cabaña y encontraste mis tabletas escondidas.

Avergonzada, Emily se pasó la lengua por los labios.

—¿Ya? ¿Me lo he quitado?

Will tenía la vista clavada en su boca. Ella vio cómo se le abrían las aletas de la nariz y se preguntó si él podría sentir su pulso acelerado bajo la toalla.

Will dejó de tirarle del pelo para acariciárselo en su lugar.

—Emily…

Entonces contuvo el aliento y dejó caer las dos manos mientras volvía a recolocarse en su sitio.

—Y dime, ¿qué has hecho esta semana?

Ella bajó la vista hacia la tirita de la mano.

—La verdad es que muchas cosas. He ido todas las mañanas a clase de yoga en el gimnasio al que me he apuntado. Espero que esta caída no me retrase. Y también he ido a tomar un café con una de las chicas de clase antes de entrar al trabajo ayer.

—Ya tienes una nueva amiga —comentó Will con una sonrisa.

—También me he apuntado oficialmente al club de lectura de Jamie, lo que me ha dado una idea para hacer en la biblioteca. Un videoforum para adolescentes con libros relacionados para que también lean más.

—Estupendo —Will parecía muy complacido—. Conocerás a mucha gente a través de mi hermana, y eso de los adolescentes suena muy divertido.

—Sí —Emily asintió ligeramente con la cabeza—. Estoy en contacto por correo electrónico con un profesor de estudios de cine de la universidad local. Está interesado en el proyecto, y nos vamos a reunir la semana que viene para tomar una copa y hablar del tema.

Will pasó de estar encantado a sentirse incómodo en un abrir y cerrar de ojos.

—¿Un profesor? ¿Y ahora quién es ese tipo y qué sabes de él?

Emily se encogió de hombros.

—No mucho. Me lo recomendó mi jefa, vive en la casa de al lado de la suya. Allí es donde vamos a tomarnos la copa para conocernos mejor y ver qué podemos hacer con este programa para adolescentes.

—Bien, bien —la expresión de Will volvió a suavizarse y se inclinó una vez más hacia delante, esta vez con una spray antiséptico—. Cierra los ojos mientras te pongo esto en la barbilla.

—No —protestó ella mirando el spray de tamaño industrial—. Estoy bien.

—Qué cobarde —la regañó Will—. Deja de ser tan débil —pero su mano era otra vez suave cuando le sujetó la mandíbula para torcerle un poco la cara.

—Por favor, date prisa —gruñó Emily cerrando los ojos, preparándose para el siguiente pinchazo y para la manera en que sus cariñosos cuidados parecían hacer su trabajo en su débil corazón—. Quiero volver al parque.

—Lo estás consiguiendo, ¿verdad? —murmuró Will mientras le administraba una fría ráfaga de spray—. Querías mudarte a un sitio nuevo, crearte una nueva vida. Ya has hecho muchos avances. Te admiro por ello, Emily, de verdad que sí.

Ella sintió la presión de la tirita elástica en la piel y abrió los ojos justo a tiempo de ver a Will muy cerca. Muy cerca y sin retirarse. Él le sujetó el rostro con ambas manos y la observó con expresión indefinida.

—¿Y qué me dices de ti, Will el salvaje? —le preguntó con cariño—. ¿Has hecho algún progreso para conseguir tus objetivos?

Los labios de Will se curvaron en una sonrisa mientras clavaba la mirada en la suya, y luego dirigió la vista hacia la boca de Emily. A ella volvió a latirle el corazón con fuerza, y una oleada de calor le recorrió todo el cuerpo.

—Mis objetivos… —comenzó a decir Will. Luego suspiró—. Cuando te tengo cerca, Emily, tengo que admitir que me hago un lío.

—Will… —le advirtió Emily al ver que se inclinaba hacia delante.

—Shhh —uno de sus dedos fue a parar al centro de los labios de Emily mientras se acercaba más—. Déjame. Tengo que darte un beso para que se te cure antes.

El cálido y delicado contacto de sus labios en la tirita de la barbilla no fue en absoluto algo sexual. Pero de cualquier manera, Emily sintió una corriente de dulce calor que le llegó directamente a la punta de los pies. Alzó las manos para sujetarle las mejillas, pero no se las apartó. Ella no se retiró. Se acercó más en busca de un beso de verdad. El sonido del callado gemido que él emitió cuando Emily repitió su delicado gesto, aunque esta vez en los labios, se le clavó directamente en el pecho, expandiéndoselo. La certeza de que ella le afectaba tanto como él a ella se abrió camino a través de su corazón, provocando que una vocecita interior la alertara sobre el peligro.

—Emily... —Will repitió su nombre contra su boca, y una vez más cuando deslizó los labios hacia su mejilla.

Will frotó la cara contra su mandíbula y ella sintió sus pestañas sobre la piel sensibilizada y caliente.

Los senos se le hincharon y los pezones se le pusieron duros en reacción. Will le pasó los dedos por el cabello y volvió en busca de su boca, moviendo la cabeza para que la inclinación de su boca tuviera un acceso más profundo.

—Mejor que el sueño de cualquier muchacho —murmuró Will alzando la cabeza para mirarla a los ojos. Entonces apoyó la cabeza contra su frente—. Me has matado —dijo—. Tengo que reconocer que soy tu víctima.

—¿Víctima de mis encantos? —la idea le encantaba, y Emily movió la boca para besarlo por haberle dicho una cosa así. Emily la bibliotecaria, la chica que se quedaba en casa la noche del baile de fin de curso, la mujer que se encerraba las noches del fin de semana con una pila de libros por leer y con sus recuerdos de unos veranos que quedaron atrás hacía mucho, estaba viviendo un nuevo comienzo.

¡Estaba matando a un hombre!

Y nada menos que a Will.

—Te deseo —le dijo entonces.

Will parpadeó y una lenta sonrisa le curvó los labios.

—¿Sí?

—Sí.

¿Por qué no podía, por qué no iba a desearle? ¿Por qué no iba a poder decirlo en voz alta? La nueva Emily, la de ahora, ya no era la Emily predecible, rancia y cautelosa que había sido en su ciudad natal. Y lo que era mejor todavía, ya sabía dónde le llevaba desear a Will y el resultado había sido espectacular. Los fuegos artificiales habían sido una fabulosa mezcla de fuego y deslumbramiento.

Entonces, ¿por qué no hacerlo otra vez?

Después de la primera vez, Emily se había sentido… encantada, como ella misma había reconocido, y las aspiraciones de Will el salvaje no le habían resultado comprometedoras. De hecho, podría utilizarlas a su favor…

—He estado pensando —Emily se aclaró la garganta y lo miró—. Un hombre que se hace llamar «el salvaje»…

El gemido que soltó Will esta vez fue bastante más ronco.

—¿Qué tengo que hacer para que no vuelvas a sacar ese tema nunca más? —preguntó bajándola de la silla y colocándola sobre su regazo.

Estaba calentito, y olía a jabón, a sol y a… Will. Se acurrucó contra su pecho, porque le parecía el lugar más natural del mundo en el que estar.

—Oh, vamos. Creo que ya es hora de que muestres tus movimientos más salvajes.

Will gruñó y le levantó la barbilla con un dedo bajo la tirita, alineando sus bocas para poder darle un beso que desde luego podía calificarse como salvaje. Le deslizó la lengua en la boca, cálida y húmeda, y Emily se retorció en su regazo, intentado encontrar la manera de apretarse más contra él.

La mano de Will dejó su rostro y se trasladó al ángulo de la pierna sana de Emily. Le acarició la espinilla y luego volvió a bajar la mano, creando otra oleada de escalofríos que le subieron desde la rodilla hasta arriba. Emily volvió a retorcerse, girándose para rodearle el cuello con los brazos y frotarse los senos contra su duro pecho.

La mano exploradora de Will se deslizó por debajo de su falda. Sus dedos cálidos despertaron fuego en la piel de sus muslos. Emily los abrió, no podía evitarlo, y cuando la tocó por encima de las braguitas, se apretó contra él. Will dejó de besarla y le deslizó la boca a la oreja. Cerró los dientes en su lóbulo justo cuando Emily sintió su caricia justo en el punto en que más lo estaba deseando.

Ella respondió con un calor líquido, y se dio cuenta de que Will lo sintió cuando seguía la curva de su cuerpo y abría todavía más las piernas.

—Me deseas —susurró Will con voz ronca acariciándola, sintiéndola—. Me encanta sentirte, sentir esto. Sentir cuánto me deseas.

Deslizó un dedo por la banda elástica de sus braguitas y Emily gimió.

—Oh, Will —Emily serpenteó entre sus brazos y le mordisqueó la mandíbula.

—Oh, Emily —en su voz había un tono sonriente que ella trató de borrárselo con un beso. Pero Will tomó las riendas y convirtió el beso en algo más apasionado, más profundo. Le introdujo la lengua en la boca en el mismo momento en que lo hacía con el dedo en su cuerpo.

Emily se quedó paralizada y contuvo un gemido, sobresaltada ante aquella súbita caricia.

—¿Demasiado? —le susurró Will contra la boca.

Los músculos internos de Emily respondieron por ella, apretándole mientas le introducía la lengua a él en la boca. Will gimió.

—¿Demasiado para ti? —coqueteó ella, alentada por el sonido que salió de su garganta y la rápida respuesta de su erección.

Will sacó la mano.

—Veremos quién se rinde antes —dijo—. Cuando ya no puedas seguir soportándolo házmelo saber, nena.

Dicho aquello, la recolocó sobre su regazo, poniéndole una de las piernas en la cadera para que estuviera a horcajadas. Las húmedas braguitas de Emily estaban pegadas al montículo que asomaba bajo sus vaqueros.

—Will…

—¿Ya no puedes más?

—Sí puedo —ella le recorrió el pecho con las palmas de las manos, y sus dedos encontraron los duros puntos de sus pezones. Aunque Emily no tenía las ambiciones de Will el salvaje, el cuerpo de Will y su manera de reaccionar acabaron con sus inhibiciones. Estaban a pleno día, en su cocina, y sin embargo, bajo su falda, estaban íntimamente pegados.

Y la intimidad se hizo todavía mayor cuando él tiró de la tela elástica de su parte de arriba para desnudarle los senos. Los delicados tirantes le pegaron los brazos a los costados y salieron a relucir sus pezones, duros y sonrojados. Emily vio cómo los ojos de Will adquirían una caída sensual mientras los miraba. Se humedeció los labios y luego inclinó la cabeza, succionándole uno de los pezones.

Emily se arqueó, apretándose contra él de modo que la boca de Will pudiera abarcar más seno. Gritó de placer y le agarró la camiseta que le cubría el pecho. Will se retiró un minuto para quitarse la camiseta, y entonces estuvo desnudo para que ella pudiera tocarle. Emily recorrió con las manos sus músculos pectorales mientras él volvía a succionarle y lamerle los pezones.

Emily echó la cabeza hacia atrás y se retorció contra él, obligada a moverse ante el placer absoluto de su boca insaciable y el deseo que estaba apoderándose de todos los músculos de su cuerpo. Will volvió a deslizar las manos bajo su falda, y la sensible piel de la cara interior de sus muslos se estremeció con sus caricias. Y entonces dejó de tocarla y Emily se dio cuenta de que estaba desabrochándose los pantalones.

Sintió cómo le hervía la sangre. No iría a…

No pensaría en…

¿Allí en la cocina? ¿En la silla?

Realmente, era un salvaje.

La boca de Will le llenó el seno de besos y luego subió por el cuello hasta llegar a la oreja.

—Levántate un poco, cariño.

¿Podría hacerlo? ¿Sería capaz de moverse?

La sonrisa que le dedicó Will era burlona, pero el brillo de sus ojos ardía de puro deseo.

—Tengo un preservativo, si quieres darte una vuelta —la sedosa y cálida piel de su virilidad acarició la cara interior de su muslo, y de pronto, Emily lo deseaba todo con toda su fuerza.

—Sabes que sí quiero —susurró con voz temblorosa.

La sonrisa de Will se volvió más feroz.

—Levántate un poco.

Cuando lo hizo, Will le quitó las braguitas y al instante estaba él en su lugar, abriéndola.

Abriéndole el corazón.

Llenándola.

Inundando su pecho con sentimientos que recordaba a medias y que al mismo tiempo resultaban completamente nuevos.

Bajo la falda, los largos dedos de Will encontraron su cintura y dirigió sus movimientos, animándola a deslizarse hacia abajo mientras él hacía lo mismo hacia arriba. A mover las caderas mientras él movía las suyas. Se acomodaban el uno al otro a la perfección: montículos suaves contra superficies planas, calor delicado contra fuertes embistes, ángulos masculinos contras curvas femeninas.

Emily cerró los ojos con fuerza para tratar de retener el momento, de conservar aquel recuerdo para siempre. Pero Will no estaba dispuesto a dejarla ir.

—Abre los ojos, Emily —le ordenó—. Míranos.

Mirarlos. Jugando al vaquero y al semental. Tal vez aquello fuera un tanto soez. No había ningún otro hombre en el universo capaz de conseguir que ella, la bibliotecaria Emily, hiciera el amor en la cocina en plena tarde del sábado. No había ningún otro hombre en el universo que pudiera llevarla a hacer algo que le resultaba ligeramente sucio... y disfrutar cada segundo de ello.

Will la hacía sentirse a salvo.

—Vamos, llega para mí, Emily —le susurró.

Y una de sus manos se deslizó por la parte delantera de su cuerpo haciendo círculos, apretando y haciendo más círculos, y los músculos de Emily se contrajeron con más fuerza ante aquella gruesa y satisfactoria
intrusión en el interior de su cuerpo. Cabalgó con él
aquellos círculos de placer hasta que se volvió…

Salvaje.

Salvaje por Will.

Cuando el orgasmo se apoderó de ella, sintió
como si el corazón también se le abriera debido a los
sentimientos que Will le despertaba. Le dolía el pecho
mientras su cuerpo se estremecía una y otra vez. Dejó
que él le arrebatara la boca mientras gemía en respuesta a su propio orgasmo.

Emily dejó que le tomara la boca, del mismo
modo que había dejado que se apoderara de todo lo
demás. La sexualidad que había ido tomando forma
durante tanto tiempo dentro de ella le pertenecía a
Will. Y también su corazón.

Tal vez hubiera podido retenerlo si su salvaje
amante no hubiera sido después tan cariñoso con ella.
Pero el hombre que la había llevado a aquel fabuloso
éxtasis en la cocina ahora la guiaba hacia una ducha
caliente. Y luego, cuando estuvo acurrucada en su albornoz, la guio entre sus sábanas y allí la abrazó contra su cuerpo húmedo y desnudo mientras ella acurrucaba la cabeza en su hombro.

Se adormilaron.

Cuando se despertó, Will le estaba poniendo un
vaso de zumo de naranja en la mesilla de noche que
había a su lado, y cuando vio que estaba despierta, la

ayudó a incorporarse para beber el líquido. Luego volvieron a acurrucarse juntos, hablando de todo y de nada.

Emily le sugirió que aprovechara su habilidad para calentar pizzas y la llevara un paso más allá utilizando masas precocinadas con sus propios ingredientes. Will mencionó que podría encontrar candidatos para su videoforum a través de un programa para adolescentes que tenía el departamento de bomberos.

Se besaron largamente.

Fue una intimidad diferente a la que habían compartido en la cocina, pensó Emily rozando la mejilla contra la piel de Will.

Y sin ningún reparo, se dio cuenta de que su nuevo comienzo la había llevado... de vuelta a su antiguo amor, ahora prendido de nuevo.

Estaba enamorada de Will. Lo miró de reojo, preguntándose qué pensaría él de lo que les estaba ocurriendo, y lo pilló mirándola con una expresión intensa.

—¿En qué estás pensando? —le preguntó.

—Supongo que tendremos que decantarnos por el divorcio —murmuró él—. La nulidad queda fuera de toda consideración.

Capítulo 10

OWEN giró la cabeza para mirar a Will cuando se acercaban a la primera indicación de su recorrido favorito de ocho kilómetros.

—No le dijiste eso, ¿verdad?

Will torció el gesto. Aunque no le había contado a Owen lo que precedía a las palabras que le dijo a Emily, pensó que se le podía perdonar un paso en falso. En aquel momento no tenía la cabeza al cien por cien. Todavía estaba pensando en lo que Emily le había hecho en la cocina. Y entonces, con ella acurrucada a su costado en su cama, solo podía repetirse a sí mismo: «¡Estoy casado con esta mujer!».

Y el hecho de que aquella certeza no le produjera pánico… le había hecho entrar en pánico.

—No quiero atarme a nadie —le dijo a Owen—. Cielos, no ahora, cuando acabo de recuperar mi libertad. En cuanto a Emily… a ella le pasa lo mismo. No quiere estar atada a un antiguo novio del pasado. Se ha mudado aquí para empezar una nueva vida.

—Suena bien, amigo —reconoció Owen.

Entonces guardó silencio un instante.

—Pero no le dijiste eso, ¿verdad?

—Oh, diablos.

Will bajó la cabeza para poder ver sus zapatillas de deporte golpeando el asfalto.

—Aunque pareció tomárselo bien, se marchó de mi casa poco después. No sabes las ganas que tenía de golpearme mi propio trasero después de escuchar aquellas palabras salir de mi boca.

Owen gruñó.

—Conozco otro trasero que también necesita un tratamiento similar —murmuró.

Will miró al otro hombre. El sudor le había oscurecido el rubio cabello, y no parecía más feliz de lo que se sentía el propio Will.

—¿No has tenido suerte buscando a Izzy? —le preguntó.

Owen negó con la cabeza.

—Ninguna suerte.

Su compañero se había tomado unos días libres nada más volver del viaje a Las Vegas. La familia Marston era millonaria desde hacía dos generaciones y, de vez en cuando, Owen se quitaba el uniforme de bombero y se ponía un esmoquin para complacer a su abuelo. Se había pasado las dos últimas semanas llevando a cabo una de aquellas actuaciones en la casa familiar de verano que la familia tenía en el lago Tahoe.

—¿Izzy te está evitando? —le preguntó Will.

—¿A ti qué te parece? —respondió su amigo—.

¡Al diablo con todo! —Owen aceleró y Will necesitó correr a toda prisa para ponerse a su altura—. ¿Qué nos pasó aquella noche?

—Y la noche anterior —le recordó Will.

Él se había encontrado con Emily el viernes por la tarde y esa misma noche, tanto Owen como él compartían ya mesa y besos con las dos mujeres. Todo pareció tan fácil, tan natural… Justo lo que estaba buscando después de todos aquellos años responsabilizándose de sus hermanos. Un poco de diversión con una vieja amiga.

Y ese poco de diversión se había convertido en un montón de…

Diablos, no sabía cómo calificar lo que estaba ocurriendo entre Emily y él, ni qué iba a hacer al respecto.

—Emily me mandó un correo electrónico el día después de mi estúpido comentario —le contó a Owen—. Lo cierto es que todavía podemos anular nuestra boda. Solo tenemos que alegar algo del tipo intoxicación etílica durante la ceremonia. También sirve la enajenación mental transitoria.

Owen resopló.

Will estaba de acuerdo. Excepto porque, bueno, las noches que había pasado con Emily en Las Vegas sí había estado intoxicado. Por su aroma, por el calor de su piel, por la alegría que experimentó al volver a verla.

Y en cuanto a lo de la enajenación mental…

Emily lo estaba volviendo loco de verdad.

Pero eso no era todo. Will disminuyó el paso porque no había manera de huir de todos los problemas que estaban apareciendo en su vida.

—Llámame retrógrado, pero estoy pensando en cancelar mi cuenta de correo electrónico.

Owen volvió a resoplar.

En aquellos tiempos, probablemente no podía vivir de espaldas a un mundo con Internet, pero ganas no le faltaban. Así podría evitar que sus hermanos le enviaran aquellos mensajes que lo arrastraban de nuevo hacia ellos.

—Jamie me ha mandado un correo para invitarme a cenar el jueves. Sin duda todo el mundo estará allí. ¿Quieres venir?

—¿Por qué? ¿Necesitas un amortiguador?

—Serías una ayuda —admitió Will—. He invitado a Emily a venir también.

Owen no necesitó decir nada para que Will se diera cuenta de que estaba perplejo. Él mismo tampoco podía explicárselo.

—Mira, si vienes con nosotros puedes hablar con Emily respecto a cómo manejar la situación con Izzy.

—Creo que ejercitaré mis habilidades con la barbacoa yo solo, muchas gracias. Aunque no hago más que rascarme la cabeza preguntándome porqué no haces más que concertar citas con la mujer de la que quieres librarte.

Will observó la superficie de su reloj deportivo para mirar el día y el mes. Una vez más, no trató de explicar sus propios y extraños motivos. Pensaba que se le podía perdonar, porque en aquellas fechas del año nada tenía sentido para él.

Emily se sentía cómoda en casa de Jamie, la hermana de Will. Se estaba acostumbrando también a sus hermanos, al caos que rodeaba al grupo cuando se reunían todos. Sin embargo, no estaba a gusto con Will. Aquella noche no.

Le había dado vueltas a aquella idea de estar enamorada de él y había decidido que estaba equivocada. Se había tratado de un lapsus momentáneo por su parte, era su soledad la que había hablado, haciéndole creer que se había enamorado de Will. El mundo no funcionaba así, ¿verdad?

No podía ser tan injusto como para que una mujer se enamorara de un hombre que no podía corresponderla.

Así que, aunque ahora se encontrara en un ángulo emocional más fácil, de todas maneras no iba a resultar fácil tener aquella conversación largamente pospuesta sobre la disolución de su matrimonio. Iba a tener lugar sin duda aquella noche, pensó Emily aceptando la taza de té que Will le había preparado después de la cena antes de sacarla al porche de casa de su hermana. Emily dio un sorbo y lo observó por encima del borde de la taza mientras Will bebía de su botellín de cerveza.

Él le había pedido vía correo electrónico que lo acompañara aquella noche.

Ella había aceptado vía correo electrónico. El segundo correo de Will se había referido a la información sobre el divorcio y la nulidad que ella le había enviado con anterioridad.

«Hablaremos de esto después de la cena de Jamie», había escrito.

Pero a pesar de que Will estaba a punto de conseguir lo que quería, que era librarse de ella, no parecía más relajado en su compañía de lo que lo estaba ella en la suya.

Aunque tal vez el problema no fuera ella, pensó. Tal vez estuviera recibiendo la tensión de la atmósfera que los rodeaba. Porque los hermanos Dailey, aunque se mostraban tan enérgicos y vigorosos como en otras ocasiones en las que había estado con algunos de ellos o con todos, estaban muy nerviosos. Durante el aperitivo, y también durante la misma cena, le habían lanzado miradas a su hermano y entre ellos, como si tuvieran algo escondido en la manga. Algo que tenía que ver con Will, como si no estuvieran muy seguros de cómo iba a tomarse la sorpresa.

Emily tenía el estómago encogido y se acercó a él casi de manera inconsciente, aunque sabía que aquella proximidad no le convenía a su corazón. Sería mejor mantener las distancias, pero cuando aspiró el aroma especiado de su olor a limpio, le resultó todavía más difícil apartarse. Will se giró, le rozó el brazo y sus miradas se encontraron.

—Estás preciosa —le dijo con voz dulce, aunque con un cierto tono de acusación—. Siempre estás preciosa.

Entonces, en lugar de verse como estaba vestida en aquel momento, con unos vaqueros, sandalias y una sencilla camiseta blanca con cuello de barco, otra imagen surgió en su mente. Will sentado en la silla de su cocina.

Ella montada encima a horcajadas, con la faldita desparramada por los muslos de Will, ocultando el secreto y sensual suceso que estaba teniendo lugar bajo aquella fina tela de algodón.

A Emily se le endurecieron los pezones y se humedeció los labios, tratando de resolver el problema de una repentina boca seca. Will dejó caer los párpados con las pestañas a media asta mientras miraba fijamente su pedazo de lengua expuesta. Avergonzada, excitada, Emily volvió a guardársela en la boca y levantó la taza de té.

Tal vez Will pensara que se había sonrojado porque la bebida estaba muy caliente.

Sacudiendo la cabeza, él apartó la mirada.

—Ese recuerdo tardará mucho en borrarse —murmuró.

Emily hubiera podido reírse al comprobar el paralelismo con el que trabajaban sus mentes si Will se hubiera mostrado más agradecido que molesto. Así que sí, definitivamente, lo que necesitaban era un poco de espacio. Emily aspiró con fuerza el aire y le dio la espalda para sonreír al niño pequeño que se acercaba ahora al porche agarrando en sus puñitos unos tenedores de plástico.

—¿Estás ayudando a mamá, Todd?

El hijo de Jamie asintió con la cabeza mientras continuaba su camino hacia las dos largas mesas de picnic en las que habían cenado.

—Vamos a tomar tarta. Tarta de cumpleaños.

—Oh —Emily miró hacia la gente—. No sabía que estábamos celebrando algo.

La familia Dailey se quedó completamente quieta al unísono. Aquella reunión era menos concurrida que la primera a la que había asistido. Solo estaban los hermanos, el marido de Jamie, Ty, y sus dos hijos. No había amigos íntimos. Todos miraron a Emily, le lanzaron miradas culpables a Will y luego se miraron los pies.

—¿Qué está ocurriendo? —preguntó Will con voz cortante—. Nadie cumple años este mes.

Jamie salió del porche de la casa con una caja rectangular de pastelería en las manos.

—No nos dejaste hacer nada por ti a principios de verano —dijo.

—Todo ha sido idea suya —añadió Tom señalando en dirección a su hermana mayor con el dedo pulgar.

No quedó claro si quería echarle la culpa o concederle el mérito.

—No quiero soplar ninguna vela —dijo Will.

Todd se acercó a su tío y se echó las manos a las rodillas varias veces en gesto de claro entusiasmo.

—¡Yo las soplo!

—Los dos tenemos que mantenernos apartados de las llamas —dijo Will inclinándose para agarrar a Todd en brazos—. ¿De acuerdo, amigo? El fuego es peligroso. Que no se te olvide.

Emily sintió cómo se le encogía el corazón al ver la naturalidad con la que sujetaba al niño y la dulzura con la que el pequeño se acurrucaba en el pecho de su tía. Por mucho que Will intentara separarse de su familia, todos y cada uno de ellos, desde la mayor de sus hermanos hasta su sobrina más pequeña, Polly, querían que formara parte de sus vidas.

¿Por qué no se daba cuenta Will de lo especial que eso era? ¿Por qué no apreciaba aquel amor incondicional?

Jamie dejó la caja de la pastelería en la mesa más cercana, al lado de una pila de platos de papel.

—En realidad no es una tarta de cumpleaños —dijo—. Vamos, todo el mundo a sentarse.

Una vez más se percibió aquella extraña sensación de tensión en el porche. Se estaba haciendo de noche, y Betsy había encendido velas metidas en recipientes de cristal en el centro de la superficie de madera. El grupo regresó a los lugares que habían ocupado antes. Will en el centro, Emily a su lado, sus hermanos alrededor.

Cuando tomó asiento, Ty remplazó la cerveza vacía de Will por una fresca, y Emily alzó la vista con la esperanza de captar la expresión del otro hombre. Pero las sombras y la luz de las velas hacían difícil una visión clara. ¿Pensaba que Will necesitaba relajarse para lo que iba a venir a continuación?

Porque algo iba a ocurrir.

Will también lo percibía, pensó ella, porque su cuerpo delgado se quedó petrificado.

—¿Qué está ocurriendo?

Jamie tenía en brazos a Polly, y en lugar de sentarse, estaba de pie al lado de su sitio, cambiando el peso de un pie a otro.

—No es nada malo, Will. Es que queríamos… Queríamos que supieras…

Tom volvió a señalarla.

—Ha sido idea suya.

—De acuerdo —dijo Will—. Así que Jamie es la culpable. Pero ¿cuál diablos es el problema aquí?

Todd, que estaba sentado en el regazo de su padre, torció el cuello para poder mirarlo.

—Sí, ¿cuál diablos?

Tendría que haber sido algo gracioso, pero ninguna de las personas que estaban en el porche se rio.

Betsy se aclaró la garganta.

—No hay ningún problema, ¿de acuerdo? Es algo… algo que hay que expresar. Después de trece años… Creo que es hora de que te digamos algo, Will.

Emily, que estaba a su lado, sintió cómo el cuerpo de Will se ponía tenso.

Betsy continuó.

—No nos dejaste hablar de ello en mi graduación. Te negaste a que te hiciéramos una fiesta de cumpleaños este verano. Pero este mes hay otra fecha importante…

—No —la voz de Will estaba cargada de tensión, y todo su cuerpo irradiaba incomodidad.

A Emily se le erizó el vello.

—No me hagáis esto —dijo.

Su hermana menor subió el tono de voz.

—¿Que no te agradezcamos lo que hiciste por nosotros? ¿Cómo nos mantuviste a todos unidos, en familia? Eso no está bien, Will.

Inclinándose hacia delante, Betsy levantó la tapa de la caja para dejar al descubierto una exquisita tarta de chocolate, la favorita de Will, con unas letras azules en las que podía leerse:

«Gracias, hermano mayor».

—No teníais por qué hacer esto —Will se puso bruscamente de pie—. No tendríais que haberlo hecho.

Alex, que estaba al otro lado, le puso la mano a Will en el brazo.

—Han pasado trece años, Will. Hoy hace trece años, y…

—Sé qué día es hoy —le espetó Will, soltándose del brazo de Alex—. Sé perfectamente qué día es hoy.

Jamie se giró hacia su hermano mayor.

—Will, lo único que queremos es asegurarnos de que sabes que somos conscientes de los sacrificios por los que tuviste que pasar durante todos estos años, después de que papá y mamá…

—¡Basta! —lo interrumpió Will.

Un instante después estaba de pie, mirando fijamente a la mesa de madera y la bonita tarta que tenía delante. Y un segundo más tarde saltó la valla que tenía detrás y salió del porche sin soltar la botella que tenía en la mano.

—Manteneos lejos de mí. Ese es el único agradecimiento que quiero. Que todos os mantengáis fuera de mi vida.

El silencio cayó sobre el porche cuando escucharon el portazo de la puerta de entrada. Will se había marchado.

Tom señaló a Jamie.

—Todo ha sido idea suya.

Todd se bajó del regazo de su padre para mirar el solitario postre que había en el centro de la mesa.

—Quiero tarta.

Emily se puso de pie automáticamente al escuchar el sonido del coche de Will. No era que le preocupara cómo iba a volver a casa, seguro que alguno de sus hermanos la llevaría de vuelta. Se estaba preguntado si dejarla a ella atrás era lo que Will de verdad quería.

Bueno, por supuesto que dejarla atrás era lo que de verdad quería. Después de todo, se suponía que aquella noche iban a hablar de la disolución de su matrimonio. Pero ¿querría estar solo en aquellos momentos, o necesitaba algo más? ¿Tal vez una amiga?

Por lo que ella sabía, el coche no había salido todavía a la calle. Así que se dirigió hacia aquella dirección. Jamie la miró al pasar.

—No le dejes solo esta noche —dijo su hermana—. Nunca ha estado solo en el aniversario de la muerte de nuestros padres. No podía permitir que lo estuviera este año. Siempre estamos juntos este día, aunque no lo digamos abiertamente. Yo quería que esta vez el aniversario tuviera un mejor recuerdo.

Emily asintió, pero siguió andando. Esta vez, decidió, por mucha distancia que Will quisiera poner con ella, no era el momento de dejarle ningún espacio.

Lo encontró caminando por la acera de casa de su hermano con los dedos agarrados al cuello de la cerveza.

—Will…

Él no detuvo su agitado movimiento.

—Vámonos.

—Estás triste —dijo Emily—. Tu familia está triste. Tal vez deberías entrar y hablar…

—Hablar —Will la rodeó sin parar de andar—. Ya se ha hablado demasiado de esto. Vámonos.

Se dirigió a grandes zancadas al asiento del conductor de su camioneta.

—Will…

—¡No! —con un violento movimiento del brazo, arrojó la botella contra el bordillo. El envase se rompió en pedazos.

Emily se quedó paralizada, sorprendida por la violencia y la visión de aquel vidrio roto brillando bajo la luz de la calle.

Luego miró a Will y vio que él también estaba paralizado, con la mirada clavada en el desastre que había provocado en la calle.

Emily sintió de pronto que podía volver a moverse.

—De acuerdo, Will. De acuerdo. Nos vamos.

—Todavía no —se pasó las manos por el pelo y luego se acercó al vidrio roto a grandes zancadas—. Dios, los niños podrían cortarse. Todd. Polly. Tengo que limpiarlo. Tengo que ocuparme de esto.

Emily lo vio recoger los trozos más grandes y sintió como su corazón se rompía igual en pedazos. Aquel era Will, el hombre que, a pesar de las fuertes emociones que estaba experimentando, no era capaz de dejar algo peligroso que podría hacer daño a sus sobrinos pequeños.

«Tengo que limpiarlo. Tengo que ocuparme de esto».

Will se había hecho cargo de aquella responsabilidad trece años atrás, e incluso ahora, en la agonía de lo que estuviera pasándole ahora, aquella parte de él seguía inamovible.

Como el amor que Emily sentía por él, supo entonces.

La idea de poder de alguna manera racionalizarlo para apartarlo de sí, o decidir que no tenía una naturaleza auténticamente genuina, no estaba funcionando. Will era mucho más que un romance adolescente de verano. Se había enamorado con un amor adulto y real del hombre en el que se había convertido. Exhalando un suspiro, Emily se acercó a él.

—Deja que te ayude.

—Quédate atrás —le ordenó él—. Ya te he curado las heridas una vez la semana pasada y no voy a arriesgarme a volver a oler ese spray antiséptico.

Emily no preguntó por qué. Para ella resultaba afrodisíaco. Si para Will no era así, no quería saberlo.

Él tampoco dijo nada más, y mantuvo su silencio todo el camino de regreso a casa de Emily. Cuando se detuvo en la entrada, dejó el motor encendido y se quedó mirando fijamente la puerta del garaje como si fuera una pantalla de cine o una tabla en la que estuvieran escritos los secretos del universo.

Sin pensar lo que hacía, Emily se acercó a él y apagó la llave del motor.

—¿Por qué no entras? Nos tomaremos un café. Té. Agua. Lo que tú quieras.

Cualquier cosa que necesitara. Porque estaba claro que la tormentosa tensión que le había llevado a arrojar la botella no había desaparecido. Todavía estaba muy tenso.

—No soy buena compañía para nadie esta noche —dijo con voz tirante.

—Me arriesgaré. Entra.

Emily no supo qué le animó a entrar en su casa.

Lo único que supo fue que su caja torácica se relajó un poco de tanto constreñir el corazón cuando Will le abrió la puerta y entró detrás de ella. Se dejó caer en el sofá con las rodillas abiertas, los codos encima y la cabeza entre las manos.

A Emily se le encogió el corazón.

—Will —se sentó a su lado en el sofá y le puso la palma de la mano en el hombro. Sintió cómo daba un respingo, pero se negó a aceptar su rechazo.

—Creo que entiendo un poco cómo te sientes.

Will no levantó la cabeza, pero habló en tono beligerante.

—¿Ah, sí? ¿Eso crees?

Emily no se arredró.

—Sí, eso creo. Yo también he perdido a mis padres, ¿recuerdas?

Se hizo un momento de tenso silencio, y entonces

una mano grande agarró la suya y le dio un apretón, haciendo que el corazón se le encogiera todavía más. Will suspiró y dejó caer los hombros.

—Emily…

—¿Te has dado tiempo para llorarlos?

Will alzó la cabeza y la miró.

—¿Tiempo para llorarlos?

Ella volvió a repetirlo.

—Sí. Tiempo para llorarlos.

Will soltó una breve carcajada sin asomo de humor.

—No hubo tiempo para llorarlos. Tuve que ponerme manos a la obra… llevar a los niños al colegio, poner comida en la mesa, pagar las facturas, criar y educar a cinco chavales como se debe.

Y lo había conseguido. Lo había conseguido todo, todo lo que acababa de decirle. Y sin embargo…

—Así que hiciste todas esas cosas. Y ahora no hay motivo para que te escondas de la razón por la que tuviste que hacer todo aquello, Will. Esta noche hace trece años que…

—No lo digas —la interrumpió él.

Emily tenía que decirlo. Había que enfrentarse a ello.

—Esta noche hace trece años que tus padres murieron y tú…

No pudo terminar la frase. Will le puso las manos en los antebrazos antes de que ella pudiera decirlo todo, y la atrajo hacia sí, acercándole la cara a la suya, cubriéndole la boca con un beso para silenciarla.

No fue un beso dulce.

¿A quién estaba castigando Will? ¿A ella? ¿A sí mismo? ¿Al destino?

En cualquier caso, su boca contra la suya resultaba ardiente y cálida, y el escalofrío que le recorrió a Emily la espina dorsal fue como una lengua de fuego. Siguieron besándose hasta que ella se quedó sin respiración, pero la desesperación despertó nuevos fuegos en sus terminaciones nerviosas y se dejó llevar.

Cuando Will levantó la cabeza, el oxígeno resultaba demasiado puro.

—Por favor —susurró ella rodeándolo con sus brazos, aunque no sabía ni qué le estaba suplicando—. Por favor.

Will se puso de pie y la agarró de la mano.

—Ahora —dijo con voz gutural y los músculos apretados por la tensión—. Te necesito ahora mismo.

—Will…

—Déjame —dijo él con voz fiera—. Déjame.

Will le había dicho esa palabra todas y cada una de las veces, queriendo decir: «Déjame que te haga el amor». Pero ahora, lo que de verdad quería decirle era que le dejara no pensar, a eso se refería.

¿Y por qué debería negarse ella? ¿Qué era lo que debía negar? Aquel era el hombre que amaba, y estaba sufriendo. Y la presión de su cuerpo contra el suyo, los besos que le estaba dando una vez más, provocó que todos los puntos neurálgicos de su cuerpo latieran.

Entraron en la habitación de Emily. Y entonces se desnudaron, y entonces se unieron. Con los dedos entrelazados con los suyos, Will le mantuvo las manos en el colchón y la embistió con un ritmo fuerte hasta que Emily alcanzó el orgasmo. Entonces él hundió el rostro en su cuello y lo sintió llegar también… y sintió la humedad en el cuello.

Emily no comentó nada al respecto, aunque a ella también le ardían los ojos. No comentó nada de nada. Se limitó a estrecharlo con fuerza entre sus brazos mientras se dormían.

Por la mañana, Emily se despertó sola. Había una nota en la cocina, donde Will había dejado el café hecho para ella. La cafetera estaba llena. No se había tomado ni una taza. Emily pensó que no quería nada más de ella.

Entonces miró lo que había escrito.

Tenía una letra muy clara.

Lo siento. Necesito estar solo.

Y Emily apostaba a que no se refería solamente al desayuno. La vida podía llegar a ser así de injusta.

Capítulo 11

TRAS la hora de la cena en el parque de bomberos era tiempo de descanso, y el equipo era libre de hacer lo que quisiera hasta que entrara algún aviso.

Aunque a Will le estaba costando mucho concentrarse en los últimos días, se unió a Owen para asistir al curso que estaban recibiendo sobre el manejo de materiales peligrosos.

Pero fue una pérdida de tiempo, porque en cuanto abrió los libros y aparecieron las letras delante de sus ojos, Will sintió como si estuviera mirando fijamente la escritura cuneiforme de los sumerios.

Se pasó una mano por el pelo y gruñó.

—En noches como éstas me alegro de ser el único Dailey que no ha ido a la universidad.

Owen alzó la vista.

—Podrías ir ahora, ¿sabes? Tus hermanos ya han

terminado. El pago de la siguiente matrícula podría ser para ti mismo. Podrías aprender algo.

Will frunció el ceño.

—¿De qué estás hablando? —hizo un gesto para señalar el libro que tenía delante—. Yo siempre estoy aprendiendo.

—Lo que estudias es para el trabajo. Si quisieras, podrías ir a la universidad y prepararte para otro tipo de trabajo. Una nueva profesión.

—¿Una nueva profesión? ¿Como cuál?

—Cualquiera, Will —aseguró Owen—. Te hiciste bombero porque había un hueco para ti en la academia de bomberos y sabías que podrías conseguir el puesto con más rapidez que un título cuando necesitabas dinero para ocuparte de tu familia. Ahora podrías prepararte para cualquier profesión que quisieras.

Will se revolvió en la silla y luego dirigió la mirada por la sala. Las dependencias del parque de bomberos eran agradables. Desde la salita de al lado llegaban las voces de una pareja de compañeros discutiendo por el programa de televisión que cada uno quería ver. Uno quería ver el mismo documental sobre la naturaleza que pasaban siempre, y el otro se inclinaba por un programa de bricolaje casero. Otra de sus compañeras pasó por detrás de Owen, dirigiéndole a Will una sonrisa distraída mientras pasaba con el teléfono móvil pegado a la oreja. No hizo falta que Will escuchara una sola palabra para saber que Anita estaba hablando con su hija de diez años.

Conocía muy bien a su segunda familia.

Otro de los miembros del equipo estaba en la cocina, probablemente dando cuenta de uno de los brownies que un ciudadano agradecido había ido a llevarles aquella tarde. Habían salvado a su abuela cuando la anciana se dejó una olla al fuego. Además de apagar el fuego y llamar a una ambulancia para que se hiciera cargo de la señora, que estaba desorientada, fueron tras el gato de la anciana, que había ido a esconderse en cuanto comenzó a sonar la alarma antihumos. La expresión del rostro de la abuela cuando abrazó a su mascota para poder acariciarla antes de que se la llevara la ambulancia hizo que valieran la pena todas las largas noches y cada día que había estado en aquel trabajo que…

Amaba.

Guau.

Había estado tan ocupado trabajando y sacando adelante a la familia que nunca había tenido tiempo para pensar en ello. Amaba su trabajo.

Era bueno saberlo, pensó. Era muy bueno estar seguro de ello.

—No quiero otra profesión —le dijo a Owen—. Ahora, una manera de escapar de Jamie, Max, Alex, Tom y Betsy… eso sí me interesaría.

Owen lo miró.

—Entonces hazlo. Podrías mudarte y seguir siendo bombero en otra parte. Empezar de nuevo, como ha hecho tu vieja amiga Emily cuando vino aquí.

Will abrió la boca. Tenía en la punta de la lengua decir que se negaba a abandonar su ciudad natal. Luego entornó los ojos para mirar la expresión demasiado indiferente de Owen y se reclinó en la silla, cruzándose de brazos.

—De acuerdo, lo has conseguido. No sé qué pretendías con ello, pero lo has conseguido. Me gusta mi trabajo y me gusta el lugar donde lo desempeño. Así que ya que eres tan listo, por qué no me dices por qué yo, bueno, debería decir nosotros, hemos complicado esto tan bueno que tenemos aquí con lo que hicimos en Las Vegas.

Ni aunque lo mataran sería capaz Will de recordar a quién se le había ocurrido primero esa idea de la boda. Ninguno de ellos había pronunciado una sola palabra de precaución. Y cuando Emily se colocó a su lado con su vestidito marcándole las curvas y aquel estúpido velo colgándole de la cabeza, lo único que Will recordaba era el olor de su aroma, que sonreía como un imbécil y que se consideraba el hombre más feliz…

Sin duda no estaba pensando en todas aquellas cosas.

Miró a su mejor amigo.

—¿Y bien? —inquirió—. ¿Cuál es tu respuesta? ¿Cómo es posible que dos hombres solteros, que están encantados con su trabajo y con el lugar en el que lo desarrollan, cometan el mayor error de sus vidas?

Owen estaba muy callado y no reflejaba ninguna expresión.

—¿Estás seguro de que fue un error?

Eso le dio a Will la oportunidad de ponerle la realidad delante de las narices.

—Owen —dijo—, las mujeres con las que nos casamos salieron huyendo a la mañana siguiente de la boda. No has conseguido que la bibliotecaria que te dio el «sí, quiero» te diga siquiera hola por el teléfono.

—Voy a arreglar eso —respondió Owen—. Después de este turno tengo cuatro días libres. Voy a seguirle la pista a Izzy.

Asombrado ante la determinación que percibió en la voz de su amigo, Will se inclinó hacia delante.

—¿De qué estás hablando, Owen? No has conseguido que Izzy te devuelva las llamadas.

«Y yo no he conseguido sacarme a Emily de la cabeza».

Aquel pensamiento no consciente hizo que su mente volviera a dar vueltas. Su pensamiento no se dirigió a Las Vegas esta vez, sino a la última noche que habían pasado juntos. La noche de la incómoda fiesta de aniversario de Jamie.

Cuando Will se dio cuenta de que todos los Dailey estaban allí reunidos, se había puesto… Bueno, no lo sabía. Furioso, tal vez, con una buena dosis de… algo a lo que no podía ponerle nombre.

No quería la gratitud de sus hermanos. ¡Lo que quería era que lo dejaran en paz!

Nadie lo entendía. Ni siquiera Emily. Pero eso no había impedido que Will le pidiera a ella más y más, que le pidiera que le dejara meterse en su cama para poder olvidarse de sí mismo en su piel de seda, en su dulce aroma, en la cálida, dulce y suave humedad de su cuerpo.

Su pasión los había dejado a los dos dormidos, pero Will se había despertado justo después de la medianoche. Al instante tal como había ocurrido aquel día en el hotel de Las Vegas, se dio cuenta de que estaba con Emily. Y había experimentado la misma sensación de felicidad, de que aquello era lo correcto, y no había movido ni un solo músculo para no perturbar su sueño.

Emily tenía la mejilla apoyada en su hombro, y estaba acurrucada contra él, con la rodilla colocada en su muslo y el pecho desnudo apretado contra el costado de Will. Él pasó de un estado de semidureza a ponerse como una roca, como era de esperar, pero ignoró aquella reacción automática para concentrarse en otras sensaciones menos terrenales: los suaves suspiros de su respiración contra su cuello, la suavidad de seda del cabello de Emily en su mejilla, el brillo que desprendían sus uñas cuando un rayo de luna las encontró apoyadas contra su pecho...

Muy bien. Así que ahora se fijaba en la belleza de las uñas de una mujer.

Dios, podía verlas con el ojo de la mente. ¿Y acaso no significaba eso que tenía que echar el freno?

Tenía que salir de debajo del peso de los sentimientos que estaba empezando a albergar por ella. Si no lo hacía, acabarían con él.

Al otro lado de la mesa, Owen miraba su teléfono móvil con el ceño fruncido.

Will se estiró en la silla.

—¿Qué ocurre? ¿Has tenido noticias de Izzy?

—Es mi abuelo —replicó Owen—. Supongo que quiere otra actuación estelar, aunque ha tenido estas dos semanas de reunión familiar de los Marston en Tahoe y no ha conseguido convencerme de mis errores.

Lo que una vez fue una tienda familiar de piensos y suministros para granja, se había convertido en un negocio mucho más importante de la mano del abuelo de Owen. El hermano de Owen estaba preparado para lanzarse de lleno a ese mundo, mientras que su hermana pequeña estaba deseando hacerse con el control de las bodegas que también tenía la familia. Peor el viejo señor Marston no había renunciado a colocar a su nieto mayor también bajo la presión de la bota de la empresa.

Will había conocido al patriarca, un hombre obstinado e irascible, pero él apostaba por Owen. Su amigo alzó la vista.

—Maldita sea, el viejo halcón ha aprendido a mandar mensajes de texto. Lo próximo que hará será averiguar lo que ocurrió en Las Vegas.

—Creía que lo que sucedió allí debía permanecer allí —murmuró Will.

¿Sería allí donde habían cometido el error los cuatro, pensar que todo era una broma en lugar de algo legal?

Pero qué demonios, ninguno de ellos era tan estúpido. La noche en que se casaron siguiendo un capricho, no les pareció a ninguna una estupidez.

Les pareció una idea estupenda.

Una idea que había seguido su propio curso, pensó Will sacando su propio teléfono móvil.

Sin permitirse el pensárselo dos veces, buscó en la agenda y marcó el número de Emily. Aquella noche planearían lo que había que hacer respecto al asunto de su matrimonio.

Ya era hora de que así fuera, ¿no? Owen iba a seguirle la pista a su mujer, mientras que Will iba a buscar el modo de salir de la trampa en la que se encontraban Emily y él.

Ella respondió al primer ring.

—¿Eliot? —preguntó casi sin respiración.

Will apartó el teléfono para mirarlo fijamente un instante y volvió a colocárselo con brusquedad en la oreja.

—¿Quién es Eliot?

—Ah. Will —Emily se rio suavemente.

¿Qué diablos le parecía tan divertido? Will se aclaró la garganta.

—¿Te pillo en mal momento?

—No, no. Acabo de regresar de tomarme unas copas...

—¿Con Eliot?

Emily volvió a reírse.

—Sí. Es el profesor del que te hablé, y se ha dejado un libro en el restaurante. Me lo he traído yo a casa.

—¿Estás saliendo con un profesor?

—No, papá —Emily parecía un poco enfurruñada. Will imaginó la expresión de fastidio en su rostro—. Es un asunto profesional. ¿No te acuerdas del hombre que estaba interesado en mi idea del videoforum?

—Ah, eso.

¿Había sonado de verdad tan paternal?

Tal vez pudiera vivir con eso.

—¿Ese tipo está casado? ¿Tiene mil años?

—No lleva anillo de casado...

—Tú y yo tampoco.

Pero ¿cuándo se había quitado Emily el suyo? Will recordaba habérselo deslizado en el dedo bajo la mirada aprobatoria del reverendo Elvis, pero no había vuelto a vérselo puesto desde entonces.

—¿Cuántos años tiene ese Eliot?

—Treinta y cinco. Eliot ha pasado unos cuantos años en Hollywood. De hecho protagonizó una teleserie durante un tiempo... antes de darse cuenta de que prefería enseñar sobre películas en lugar de salir en ellas.

Un chico guapo, un aspirante a actor había estado aquella noche tomando copas con la esposa de Will.

Anteriormente, la idea de lo que Emily y él habían hecho era como un enorme peso que tenía que llevar sobre los hombros. Pero esta otra idea, la de que Emily saliera con alguien más, algo que sin duda sucedería en cuanto disolvieran su matrimonio, era como tener un par de manos estrangulándole el pescuezo.

Desde el minuto en que volvió a verla, había hecho todo lo posible por atarse a ella, asegurándose de que pasaban cada minutos juntos en Las Vegas, sin poner ni un solo obstáculo a la absurda idea de casarse con ella ni siquiera cuando le echó un vistazo a aquel ostentoso Elvis que iba cargado con una Biblia.

Y ahora se le cerraba la garganta ante la idea de que Emily pudiera estar con otro hombre.

Se le cerraba tanto que no era capaz de pronunciar las palabras que provocarían el final de su matrimonio.

—Emily —su voz no parecía la suya—. Emily, tenemos que...

Sonó la alarma en el parque de bomberos.

Maldición. Otro retraso. Will se puso de pie, cambiando rápidamente el chip mental de lo personal a lo profesional.

—Tengo que irme, Emily.

Si ella respondió antes de que colgara, Will no escuchó su voz.

Se trataba de un incendio en una zona residencial, e incluso en la oscuridad podían oler y ver el humo negro y pesado cuando llegaron. Era una casa de dos plantas, con una habitación tipo vestíbulo que unía la zona de estar con el garaje. Por encima de la ancha entrada del garaje había un dosel de metal que se extendía otros cuatro metros. Al parecer, el fuego se había iniciado en el vestíbulo y se había extendido tanto por el garaje como por la casa.

Vestidos con trajes ignífugos, casco, guantes, botas y aparatos de oxígeno para poder respirar, los bomberos se pusieron manos a la obra. Owen y el resto del grupo se dirigieron hacia la casa, mientras que Willy Anita se acercaron al garaje abierto con una manguera cargada. Will tenía la boquilla en la mano, y Anita, que llevaba un hacha, lo cubría mientras se movían bajo el dosel para entrar al garaje.

Will se dio cuenta de que las llamas se habían extendido rápidamente por el techo y dio por hecho que estaban encontrando combustible de sobra en la zona cerrada del altillo. Sin embargo, la manguera estaba haciendo algo de efecto, y confiaba en que a los demás también les estuviera yendo bien en la casa. El dueño se había reunido con ellos en la entrada y les había dicho que la familia había sido evacuada, así que no había que preocuparse de nadie más que de sus compañeros.

Cuando sus botellas de oxígeno comenzaron a quedarse sin aire, Anita y él regresaron a cambiarlas. Tras remplazar los cilindros, regresaron a donde estaban y continuaron echándole agua al fuego. Escuchó un débil sonido procedente de Anita, pero antes de que pudiera darse la vuelta, le cayeron del techo unos escombros sobre la cabeza. El pesado golpe que recibió en el casco le hizo caer de rodillas.

Maldición. Agarrándose rápidamente a la boquilla, Will hizo un esfuerzo por ponerse de pie y no protestó cuando Anita le indicó que tenían que salir de allí. Solo les quedaban tres minutos de aire en las segundas botellas de oxígeno que se habían puesto y las condiciones iban de mal en peor.

Recularon hasta llegar de nuevo a la puerta del garaje, pero se quedaron cerca de la entrada, debajo del dosel. Con la manguera todavía en funcionamiento, esta vez Will se puso voluntariamente de rodillas para poder dirigir la boquilla hacia el fuego que estaba consumiendo el techo del garaje.

Y entonces ocurrió el desastre.

Sin una sola señal de advertencia, el dosel que tenían encima se vino abajo. El metal golpeó la espalda de Will, dándole en la bombona de oxígeno y quitándole el casco. Cayó sobre el asfalto mientras los pesados escombros caían sobre él, aprisionándolo.

La oscuridad era absoluta.

Absoluta y llena de humo.

«Maldición», volvió a pensar Will. «Maldición y maldición».

—¿Anita?

Gritó su nombre, pero no escuchó una respuesta. Los escombros que lo mantenían encerrado estaban muy pegados.

La cabeza de Will se dirigió hacia un registro de urgencia a medida que iba dándose cuenta de la situación. Los escombros y el metal que lo tenían sepultado eran muy pesados, demasiado como para sencillamente ponerse de pie y apartarlos. Estaba tumbado de costado, con un brazo pillado y el otro libre. Lo suficientemente libre, gracias a Dios, como para poder llegar hasta el dispositivo de alerta que tenía en el equipo y activarlo. El sistema de seguridad personal funcionó como debía, y emitió al instante una señal de alarma perfectamente audible.

Pero que lo asparan si iba a confiar solo en eso. Tenía encima el maldito dosel y el soporte que no había logrado aguantarlo, y quién sabía lo baja que había sonado fuera la alarma. Por supuesto, los otros bomberos se habrían percatado del colapso, pero no tendrían ni idea de por dónde empezar a buscarlo. Así que le dio unos golpes a los escombros que lo rodeaban para acompañar con el ruido al sistema de alarma.

El sudor que le había surgido mientras trataba de controlar el incendio se había convertido en hielo. Se dio cuenta de ello cuando le empezó a doler un tobillo. Eso solo podía imaginar que la primera subida de adrenalina tras el impacto inicial estaba empezando a decaer. Will apretó los dientes sin dejar de golpear cualquier cosa que tuviera a su alcance. Estiró más los brazos con la esperanza de encontrar un material nuevo que produjera más resonancia, y entonces, unos metros más allá, creyó vislumbrar un pequeño agujero.

Podía quedarse allí tendido, confiando en que alguien adivinara dónde estaba exactamente bajo toda aquella basura, y podía tratar de encontrarlos él. Tenía uno de los brazos atrapado, y suponía un riesgo moverlo y arriesgarse a que los escombros lo aplastaran todavía más. Pero Will tenía una razón para intentarlo.

Porque de pronto le vino a la mente que tenía que salir de allí. Jamie, Max, Alex Tom y Betsy no podían perder a otro miembro de la familia. Su cabeza dibujó de pronto a su sobrino, Todd, subido a su regazo. Incluso bajo aquella prisión de humo pudo aspirar el olor a champú del cabello de Polly.

Dando un tirón, liberó el brazo que tenía atrapado. Nada más a su alrededor se movió.

«De acuerdo, de acuerdo», se dijo a sí mismo. «Esto es una señal».

La señal de ir a por ello.

Aspirando con fuerza el aire, pensó por última vez en sus compañeros bomberos. Sabía que tendrían su propio plan para rescatarlo. Que todo el mundo esperara.

Ahora era su turno.

El tobillo herido protestó cuando empezó a arrastrarse hacia delante, pero Will lo ignoró. Lo que le detenía era el equipo de oxígeno, que chocaba contra algo que tenía encima. Will se retorció todo lo que pudo dentro de su estrechez hasta que puedo quitarse los tirantes del equipo. Con la máscara de oxígeno todavía en su sitio, se arrastró sobre el vientre hacia aquella prometedora abertura en medio de los escombros.

Abriéndose camino a través de gruesas piezas de madera, consiguió llegar finalmente al agujero. Aspiró con fuerza el aire de la botella. ¿Cuánto le quedaría? Sacó el brazo hacia el aire de la noche y comenzó a moverlo.

Se dio cuenta de que era lo mejor que podía hacer. Lo único que le quedaba era esperar a que lo rescataran.

Y pensar, observó cuando cuarenta y cinco segundos más tarde un millón de pensamientos se estrellaban unos contra otros en el interior de su cabeza. A pesar de la brecha de aire nocturno que había encima de él, seguía habiendo mucho humo en aquel confinado espacio, y eso provocaba que su proceso mental se ralentizara.

En la oscuridad, docenas de fotogramas aparecieron ante él. Podía verlos contra aquel fondo oscuro. Sus hermanos vestidos todos de negro en fila en el doble funeral por sus padres. También imágenes más alegres: el caos de sus deberes escolares desparramados sobre la mesa del comedor. El acebo de Navidad cubriendo literalmente el salón durante las mañanas de las vacaciones, las escandalosas fiestas que se montaban en las barbacoas que celebraban Jamie y Ty.

Si no salía de allí de una pieza, no volvería a vivirlas. Si no salía de allí de una pieza, el hermano mayor no estaría por allí para fingir que ponía algo de orden.

¿Quién comprobaría el estado del depósito de gasolina del coche de Betsy? ¿Quién escucharía a Alex despotricar sobre su equipo favorito de fútbol? ¿Se daría cuenta Tom alguna vez de que estaba completamente enamorado de su novia Gretchen, y habría alguien allí para recoger sus restos si se daba cuenta de ello demasiado tarde?

Emily apareció entonces en su álbum de recortes.

La vio llevando un albornoz de baño y un diminuto pareo. Con un velo de novia. Con aquella faldita vaporosa que llevaba puesta aquel día, cuando se volvió salvaje con él en la cocina de su casa. La vio desnuda.

Contuvo la respiración en el pecho. Su imaginación lo estaba matando, pensó, pero entonces se dio cuenta de que su bombona se había quedado sin aire. Pensando en su familia, en Emily, se quitó la máscara de la cara y alzó la cabeza hacia el diminuto atisbo de cielo nocturno que podía ver alrededor de su brazo en alto.

Tosió un poco y agitó la mano con más vigor. Se sentía atrapado por todos ellos, por sus hermanos, sus hermanas y por la mujer con la que se había casado, pero ahora estaba atrapado lejos de ellos.

Algo le tocó la mano. Unos dedos. Era otra mano agarrando la suya. Tirando con fuerza de ella hacia arriba. Apretándola.

Lo habían encontrado. Una sensación de alivio le relajó la tirantez del pecho, aunque seguía tosiendo. Lo habían encontrado.

El hermano mayor iba a poder regresar a casa con aquéllos que amaba.

El casco de un bombero bloqueó la débil luz que se filtraba a través del agujero que habían dejado los escombros.

—Te sacaremos de aquí, Will —le aseguró una voz—. Pero va a ser un poco complicado.

El hermano mayor iba a poder regresar a casa con aquéllos que amaba… Tal vez.

Capítulo 12

EMILY descubrió que podía hacerse una ratonera en cualquier lugar en el que estuviera. Durante un breve espacio de tiempo que comenzó en el momento en que se reencontró con Will, durante su impulsivo matrimonio y su breve aventura, pensó que había dejado atrás a la recluida bibliotecaria que había sido en su ciudad natal.

Pero desde la mañana en la que se despertó y leyó la nota de Will, se encontró a sí misma escondiéndose entre las pilas de libros de la biblioteca para dirigirse luego directamente hacia la creciente pila de los que tenía en casa.

Sus ratoneras, sus fortalezas, la armadura que se ponía para protegerse del mundo.

Tanto si se trataba de su lugar de trabajo como de su casa, el resultado era el mismo. Emily estaba una vez más en franca retirada de las turbulencias que, como bien sabían, eran la consecuencia inevitable de vivir la vida.

El breve encuentro que había tenido aquella noche con el profesor de cine había sido la excepción, y Emily seguiría congratulándose por ello si el corazón no le hubiera galopado como un caballo desbocado cuando supo de Will poco después. Y si después de eso, después de que él tuviera que cortar la llamada, no se hubiera puesto un pijama de franela, la bata más gruesa y un par de patucos hechos a mano que habían pertenecido a su abuela y que probablemente tuvieran más de cincuenta años.

No eran ni las once de la noche cuando estaba acurrucada en una esquina del sofá con una taza de té y su manta favorita para leer.

Sonó el teléfono.

No lo contestó.

El sonido se cortó abruptamente, antes de que saltara el contestador automático, y ella volvió a concentrarse en el libro. Si ahora sonaba el móvil, tendría que levantarse y contestar la llamada, porque era el número que le había dado a su jefa en la biblioteca, el que tenía Izzy y el que le había dado a Will.

Pero Will había salido a un aviso de emergencia, Izzy guardaba un obstinado silencio desde la última vez que Emily le sacó el tema de que debería ponerse en contacto con Owen… y teniendo en cuenta que estaba casada, Emily tampoco tenía mucho derecho a criticarla, en cualquier caso. Su jefa no la había llamado ni una sola vez fuera del horario de trabajo.

Nadie más tenía su número.

Emily dirigió la mirada hacia la cocina, donde el teléfono móvil descansaba en su cargador. Tal vez

Will hubiera regresado ya al parque de bomberos. Tal vez quisiera continuar con la conversación que habían iniciado…

Pero el teléfono permaneció en silencio.

Emily se acomodó en los cojines del sofá y trató de imaginarse que era una damisela de la época de la regencia en lugar de un ratón de biblioteca moderno. Esta vez fue una llamada a la puerta con los nudillos lo que la interrumpió.

Dio un respingo, y se incorporó de inmediato, pero luego volvió de dejarse caer en el sofá. ¿Quién vendría a visitarla a aquellas horas de la noche?

¿Quién tenía su dirección, en cualquier caso?

Su jefa. Que no la había llamado al móvil.

Izzy, que estaba en la otra punta del país.

Will, que estaba trabajando en un turno de veinticuatro horas.

Miró hacia la puerta cuando alguien volvió a llamar y se aseguró dos veces de que estaba cerrada con cerrojo. Estaba a salvo. A salvo en su ratonera, aislada de las preocupaciones, el mal de amores y los altos y bajos que habían sido la constante en su vida durante las últimas semanas. Los altos y bajos de vivir la vida.

La siguiente llamada con los nudillos fue más fuerte, una declaración de impaciencia y de insistencia. Realmente, ¿de quién podía tratarse? Ni de su jefe, ni de Izzy, ni de Will…

—¡Emily! —gritó una voz.

No, de Will no, pero sí de una de las dos únicas personas que habían estado alguna vez en su casa. Uno de los hermanos de Will.

El corazón se le subió a la garganta cuando se acercó a la puerta.

—¿Max? —preguntó antes incluso de poner la mano en el cerrojo—. ¿Ocurre algo?

—Se trata de Will —Max tenía la voz apagada.

Emily descorrió el cerrojo. Se mordió el labio inferior con fuerza y se concentró en la mano, consiguiendo finalmente girar el mecanismo y abrir la puerta.

El aire frío pasó por encima de su piel más fría todavía, y Max la miró con las manos en los bolsillos y expresión preocupada. Era una versión más joven y delgada de su hermano mayor. Una versión más asustada. Ni cuando estuvo delante de aquel Elvis en Las Vegas dando el «sí quiero» se había mostrado Will tan asustado.

—¿Qué ocurre? —preguntó Emily con voz ronca—. Dios mío, ¿qué ha pasado?

—No lo sé exactamente —la mirada de Max se clavó en la suya—. Pero algo fue mal durante un incendio y tenemos que ir al hospital. Jamie me dijo que pasara por aquí para recogerte de camino.

—¿Recogerme? Pero yo no, él no…

Oh, Dios. Will no iba a querer verla. No eran nada el uno para el otro.

Max se balanceó sobre los pies.

—¿Vas a cambiarte primero? Por favor, date prisa.

—Yo… yo…

Sin saber qué hacer, Emily le hizo un gesto para señalarle el vestíbulo y luego se dirigió a su dormitorio.

—¿Sabemos si está herido, o…?

Oh, por el amor de Dios, ¿a qué estaba esperando?

Se dio la vuelta y corrió hacia su habitación quitándose la bata por el camino. En cuestión de segundos estaba fuera otra vez, y entonces Max y ella se dirigieron rápidamente al coche.

Mientras avanzaban, Emily miró hacia su casa. Las luces que había dejado encendidas hacían que pareciera muy confortable. Segura.

Pero saber que algo le había sucedido a Will… O mejor dicho, no saber qué le había sucedido a Will, significaba que no estaría a salvo allí ni siquiera con otro cerrojo ni con barrotes en las ventanas. Sin embargo, le había pillado el tranquillo a eso de construir ratoneras por todas partes. Seguro que podría permanecer apartada en medio de la gran familia de los Dailey, tal vez incluso lograra hacerse invisible. De ese modo se aseguraría que Will estaba bien sin poner más sentimientos en juego.

Emily decidió que las ratoneras eran un lugar estupendo para ella.

La sala de espera de las urgencias del hospital estaba llena de sillas incómodas, revistas viejas y gente en diversos estados de sufrimiento. Un niño se sujetaba un paño lleno de hielo a un labio cortado, un anciano quejicoso se dejó caer en el asiento de plástico con actitud de estoica paciencia, la banda de los hermanos Dailey se agitaba inquieta en una esquina.

Max se dirigió directamente hacia ellos, pero Emily se quedó rezagada aunque mantuvo los oídos abiertos para escuchar las noticias.

Tanto ella como el hermano de Will no tardaron en enterarse de lo ocurrido. Un incendio, un dosel de metal derrumbado, y la búsqueda hasta encontrar a Will bajo los escombros.

Escombros.

Tuvieron que sacarlo de debajo de ellos.

Sacarlo.

Tardaron diez largos minutos desde que lo localizaron hasta que lo liberaron de los escombros. Aunque había protestado, lo llevaron al hospital, porque resultaba obvio que había inhalado humo y que tenía algo en el tobillo.

Tenía algo en el tobillo. Había inhalado humo. Emily sentía la cabeza pesada, como si alguien le hubiera metido algodón en los oídos. Se llevó la mano al pecho y se apartó del círculo de los Dailey. Necesitaba salir de allí.

En casa había un sofá, una bata suave y una damisela de la época de la Regencia a punto de asistir a un baile.

—¡Emily!

Se quedó paralizada cuando la mirada de Jamie encontró la suya. La otra mujer se abrió paso a través de su familia para agarrar a Emily del brazo.

—Han dicho que podremos verlo en unos minutos. Él querrá que estés allí.

Emily no encontró la voz para negarse. Así que se dejó llevar por el torbellino Dailey, y entonces, unos minutos más tarde, se vio arrastrada hacia la habitación del hospital donde estaba Will.

La familia se reunió alrededor de la cama y se quedó allí de pie, paralizada por la preocupación. Emily se encogió al lado de la puerta. Se quedó mirando a Will y vio el rasguño de su frente, la máscara de oxígeno sobre la nariz y la boca, la longitud de su cuerpo que terminaba en un tobillo vendado y levantado sobre una almohada.

Creyó que Will no la había visto cuando su mirada se deslizó hacia Jamie, que estaba acurrucada junto a su marido, Ty, y luego hacia Max, Alex, Tom y Betsy. Will se apartó la máscara de la cara.

—Por el amor de Dios, Tom —dijo con voz ronca, aunque sonaba contento—. ¿Estás llorando? Entiendo que Betsy llore, pero...

El resto de su broma se perdió cuando sus hermanos y hermanos convergieron a su alrededor. Lo único que Emily pudo ver desde donde estaba, al lado de la salida, era su mano grande deslizándose por un cabello oscuro, dando una palmadita en un hombro, entrelazando unos dedos entre los suyos.

—Pensamos que podría ser algo grave —la voz de Emily sonó apagada. Emily pensó que debía estar apoyada en el hombro de su hermano—. Pensamos... Pensamos...

—¿Que os iba a dejar? —terminó Will por ella—. Entonces, ¿a quién acudiría Max cuando necesitara dinero?

—Eh —protestó una voz masculina.

—¿Quién le iba a arrancar la máquina cortacéspedes a Ty?

—Eh —dijo el cuñado de Will.

La familia se echó un poco hacia atrás. Todos sonreían, igual que su hermano mayor. Will los miró.

—No pensaríais que os iba a dejar para que os las arregléis solos, ¿verdad? Pensar que tenía que mantener el ganado en orden fue lo que hizo que no perdiera la determinación para salir de allí abajo.

La preocupación se había evaporado de los Dailey como el vapor bajo un sol de verano. Comenzaron a charlar como siempre hacían, hablando todos a la vez, buscando la atención de Will y su aprobación. Emily sonrió ligeramente, consciente de que estaba en buenas manos, y se preguntó si la brecha que se había abierto entre Will y su familia no se habría cerrado para siempre.

Ella no se quedaría por ahí para saberlo con certeza, pero Will estaba a salvo, y ella también lo estaría en cuanto regresara a su confortable casa y sus libros.

Abrió la puerta y se topó con una mujer vestida con uniforme de bombero. Tenía el cabello sudado y los ojos rojos. Miró a Emily y luego clavó la vista en el hombre que estaba en la cama. Emily se echó a un lado para hacerle sitio mientras la mujer cruzaba la habitación.

Los Dailey percibieron la presencia de la recién llegada y abrieron el círculo para que la mujer pudiera ver la cama de Will.

—Anita —Will frunció el ceño—. ¿Qué estás haciendo? No estás herida, ¿verdad?

—No, no —la mujer negó con la cabeza—. Esquivé ese dosel. Pero... ha sido una noche aciaga, Will.

Él se quedó muy quieto.

—¿De qué estás hablando?

—Nuestros muchachos estaban en el tejado de la casa. Ventilándola —Anita se aclaró la garganta—. Se vino abajo, Will.

—Nuestros muchachos —dijo él en un susurro—. ¿A quién te refieres?

—A Palmer, el del equipo ocho. Está muerto, Will.

—Oh —Will se dejó caer contra la almohada—. Oh, Dios.

—Y Owen —continuó la mujer—. Owen también se precipitó desde el tejado. La ambulancia llegó ape-

nas unos minutos antes que yo. No sé si está muy grave. Pero está vivo, eso sí lo sé.

Will sintió como si le hubieran golpeado otra vez
en la cabeza.

Diablos. Palmer había muerto. ¿Y Owen? Sintió
un nudo en el estómago. Sin duda había sido una noche aciaga.

—Voy a bajar a ver si averiguo algo —dijo Alex—.
Me ha dado la impresión de que la recepcionista res-
pondería bien a la coquetería.

Tom se levantó de donde estaba sentado, al final
de la cama de Will.

—Yo también voy, no vaya a ser que responda
mejor a un tipo guapo que a uno tan prepotente como
tú.

Alex agarró a su hermano pequeño de las muñe-
cas, aunque no lo hizo con muchas ganas. Todas las
sonrisas de la habitación habían desaparecido. Jamie
había sacado el teléfono móvil.

—Llamaré a la canguro y le pediré que me dé el
número de la hermana de Owen. Sé que lo tengo por
algún lado. La llamaré para ver qué podemos hacer
para ayudar.

Betsy agarró a Max del brazo.

—Max y yo… Bueno, no sé, pero haremos algo
útil. No te preocupes, Will. Nos ocuparemos de todo.
Puedes contar con nosotros.

Max asintió.

—Nos ocuparemos de ti, Will.

Todos parecían estar a punto de saber. De pronto,
Will sintió que eso no podía ser. La idea de estar sin
ellos y no decirles algo más, lo que fuera, le provocó
un pánico que hizo que el corazón le latiera con más

fuerza y se le formara un nudo en el estomago. Aunque aquella necesidad de estar con ellos era diferente, distinta a cuando había estado bajo aquel dosel. Porque de pronto vio la foto completa.

Vio cómo era la historia entre los hermanos Dailey y él.

«Puedes contar con nosotros».

«Nosotros nos ocuparemos de ti, Will».

—Esperad, esperad.

Las palabras le salieron de la boca sin que él lo pensara y agarró los brazos de los que tenía más cerca, Betsy y Max.

—Tengo que deciros algo.

Cinco pares de ojos lo miraron. Ty también le clavó la vista, y Will les dirigió una sonrisa tranquilizadora.

—Sabía que ibais a estar todos aquí en cuanto el capitán llamó a Jamie.

Su hermana le dirigió una sonrisa débil.

—Ya sabes que la maquinaria de esta familia está bien engrasada.

—Y contaba con ello —continuó Will—. Contaba con ello del mismo modo que sé que cada uno de vosotros cuenta conmigo. Como espero que sepáis que podéis contar conmigo.

—Por supuesto —aseguró Betsy confundida.

—Ty dice que tú eres la gasolina del engranaje de los Dailey —añadió Jamie.

—Bueno, me alegro de escuchar eso. Pero lo cierto es que vosotros, todos vosotros, sois también el combustible de mi maquinaria. Igual que os apoyáis en mí… Me he dado cuenta de que yo también puedo apoyarme en todos.

Betsy se dejó caer en el colchón a su lado con los ojos llenos otra vez de lágrimas.

Will le estrechó la mano.

—Sabía que vendríais esta noche al hospital. Y que puedo contar con vuestras oraciones para Owen. Sabía que cuando este verano os dije que necesitaba espacio, me lo ibais a conceder. Aunque, por favor, no me deis tampoco mucho.

—Nunca podríamos hacer eso —le aseguró Betsy.

Will le sonrió y luego miró a su alrededor para mirar a los ojos al resto de sus hermanos mientras pensaba en cómo se habían ofrecido a ayudar a Emily cuando se mudó a la ciudad y cómo estaban dispuestos a hacer lo que fuera necesario por Owen.

—No sois una soga alrededor de mi cuello. Sois mi tribu y mi apoyo, y cada uno de vosotros es todavía más especial para mí ahora que me doy cuenta de que puedo apoyarme en vosotros igual que vosotros en mí.

Will ignoró el sollozo contenido de Jamie porque sabía que a ella le gustaba fingir que era muy dura.

—He sido un auténtico idiota al querer liberarme de vuestro amor.

Escuchó otro sollozo, más alto en esta ocasión, y se dio cuenta de que Anita se estaba secando las lágrimas de la cara.

—Anita, siento que tengas que presenciar este drama familiar.

—No —aseguró ella—. Es precioso. Me siento… privilegiada. Pero tengo que contarte algo más por si acaso sirve de algo.

—¿De qué se trata?

—Los muchachos dijeron que cuando rescataron a Owen estaba preguntando por una tal Izzy. Pronunciaba aquel nombre una y otra vez. El capitán cree que tal vez se refería a un perro que tenía, pero en el caso de que se trate de alguien importante…

Will gruñó.

—Izzy no es ningún perro. Pero no sé cómo ponerme en contacto…

—Izzy —intervino una nueva voz—. Yo sí sé cómo contactar con ella.

El círculo que rodeaba la cama volvió a abrirse y allí, al fondo de la habitación, con aspecto de querer estar en cualquier otro lugar, se hallaba Emily.

Emily. Cielos. Emily.

Con ella también había cometido una equivocación.

Ty agarró a su mujer del brazo.

—Vamos a ver qué podemos averiguar sobre Owen, chicos. Vamos a darle unos minutos al hermano mayor para que recupere el aliento.

Jamie le colocó la máscara de oxígeno de nuevo en la cara, pero Will se la volvió a quitar mientras su familia y Anita se marchaban. Esta vez no les detuvo.

Sentía el pecho tirante, pero no se debía en esta ocasión a la falta de aire, sino a la expresión del rostro de Emily. Su Emily.

—Parece que la noticia te ha llegado también a ti —el humo le había vuelto la voz más ronca.

—Max llamó a mi puerta. Yo estaba en pijama, pero él insistió.

Bendito Max. Una razón más para sentirse agradecido a su familia. Sabían que le haría bien que le llevaran a Emily. Con solo mirarla se le aliviaba un tanto el dolor por Jerry Palmer y la preocupación por Owen. La tristeza por Jerry volvería a azotarle, lo sabía, pero se tomaría su tiempo para sentirlo, no como había hecho cuando fallecieron sus padres. Hasta que Emily no se lo dijo, no se permitió llorarlos.

Emily se aclaró la garganta y se miró la parte de arriba del cuerpo.

—Me da vergüenza decir que todavía estoy en pijama. Al menos la parte de arriba.

Will se encogió de hombros.

—No me importa. Estás aquí.

Ella no se movió de la puerta.

—Tú también. Estás aquí.

No había muerto, pero había estado cerca. Y tampoco estaba realmente herido. Will podía verlo en el rostro de Emily y en la preocupación de sus grandes ojos azules.

Entonces recordó tan claramente como si acabara de suceder quién sugirió que se casaran en Las Vegas. Había sido él.

Tenía buen instinto, eso lo había sabido siempre. Solo se metía en problemas cuando pensaba demasiado las cosas.

—Ven aquí, cariño —le tendió la mano.

Ella no movió un músculo. Claro. Su Emily se lo estaba pensando.

Will tosió y cuando vio las líneas de preocupaciones en la frente de Emily no trató de contener otra tos. Su instinto le decía que, si tenía que provocar lástima, lo haría. Así era de importante aquello.

—Emily —le dijo—. Ven, por favor.

A juzgar por la lentitud con la que ella avanzó, parecía que le hubiera pedido que se acercara al patíbulo para que la ahorcaran. Will se inclinó hacia delante para tomarle la mano y la sentó a un lado de la cama.

—Estás asustada.

El susurro de Emily apenas se escuchó.

—No he tenido tanto miedo en toda mi vida.

Will le apretó los dedos.

—Pero estoy bien.

—A mi casa le llamo ratonera —confesó ella soltando las palabras a borbotones—. Allí estoy a salvo.

Se estaba batiendo completamente en retirada, Will podía sentirlo, y todo porque él había dejado de escuchar a su instinto.

—Pero estoy aquí, cariño —Will le acarició los nudillos con el pulgar—. No puedo hacer mucho al respecto, porque este es mi trabajo, lo que se me da bien hacer. Pero lo cierto es que aquí no es frecuente que nadie resulte herido. En serio. Y aquí es donde tú y yo tenemos que jugar juntos.

Emily frunció el ceño.

De acuerdo, tal vez la palabra «jugar» no fuera la más indicada.

—No sé si queremos las mismas cosas, Will.

—Yo te quiero a ti.

Emily no puso cara de sentirse precisamente halagada.

—Tú quieres pasar buenos momentos. Jugar.

Ella miró hacia sus manos entrelazadas y luego volvió a alzar la vista.

—Y además, te comportas de forma muy extraña conmigo, Will.

—Quería huir —reconoció él—, pero eso fue porque apareciste cuando menos lo esperaba, Emily. Estaba todo a punto para reclamar la vida que creí que me había perdido, pero allí estabas tú, todo lo que hubiera deseado si hubiera querido sentar la cabeza.

—Pero no querías.

—Quería vivir buenos momentos. Pero ¿sabes una cosa, Emily? Adivina qué he descubierto estas últimas semanas. Tú eres mis buenos momentos. Sin ti no tendría instantes tan divertidos, ni tan apasionados, ni tan llenos de… amor como los que he vivo cuando estoy contigo.

Emily se sonrojó.

—Yo no puedo evitar estar enamorada de ti.

Aunque a juzgar por su expresión, pensó Will, parecía que eso no le hacía ninguna gracia.

—Y yo no quiero que lo evites. Emily, yo…

—Tengo noticias de Owen, Will —dijo Alex apareciendo en el umbral de la puerta—. Y son buenas noticias. Está herido, pero no es grave.

Will sintió que se le relajaba algo de tensión.

—Gracias a Dios.

—Gracias a Dios —repitió Emily—. Aun así, voy a intentar localizar por teléfono a Izzy.

Will la miró y luego miró a su hermano, tratando de lanzarle un mensaje silencioso. Necesitaba decirle a Emily algunas cosas a solas antes de que se pusiera a hacer llamadas. Le dio la impresión de que Alex había captado su mensaje sin palabras, pero justo entonces Betsy y Tom aparecieron detrás de él.

—¿Te has enterado ya de lo de Owen? —le preguntó su hermana pequeña.

—Sí. Chicos, ¿podríais…?

Ty y Jamie aparecieron entonces también, reuniéndose con los otros tres en la habitación. Y entonces, sin que eso supusiera una sorpresa para Will, apareció Max también, y se formó otro caos típico de los Dailey. Se pusieron a intercambiar información, y cada vez iban hablando más alto.

Will pensó que nunca iba a tener oportunidad de quedarse a solas con Emily, al menos mientras estuviera en aquella maldita cama de hospital. Pero sí, de acuerdo. Sus hermanos siempre habían formado parte de su equipaje y ya había terminado la etapa de pensar que se trataba de algo malo.

Tirando de la mano que tenía extendida, atrajo hacia sí a la mujer que amaba.

—He sido un idiota de miras cortas, Emily. Pero ahora lo veo con total claridad. Eso significa que voy a insistir para que te aventures a salir al exterior, ratoncito mío. Sal y juega conmigo, cariño, porque te amo y no voy a permitir que te marches ahora que he vuelto a encontrarte.

Como si fuera un milagro, todos los Dailey se callaron a la vez. Así que el «te amo» de Will y todo lo que dijo después se escuchó con total claridad en la habitación.

Todos contuvieron la respiración.

Will cubrió el rostro de Emily con la mano libre.

—Espero que el sueño que tenía de muchacho se convierta en el futuro del hombre que soy ahora, Emily. Estoy completamente enamorado de ti. ¿Quieres casarte conmigo?

Ella parpadeó para apartar las lágrimas que se agolpaban en sus ojos, los más bonitos del planeta para Will.

—Oh, Will, estaba intentando otra vez hacer la maniobra de Danielle Phillips. Ya sabes, creía que, si te evitaba y no pensaba en lo que sentía por ti, todo desaparecería.

—¿Pero...?

—Pero ella me robó el collar.

Emily giró la cabeza en su mano y le besó la palma.

—Y tú me robaste el corazón. Voy a tener que dejar de ser un ratón de biblioteca y salir en busca de lo que quiero.

Oh, sí, aquello sonaba bien.

—Entonces, ¿te casarás conmigo? —insistió Will.

—Tonto, ¿es que ya lo has olvidado? —le preguntó su antiguo romance de verano, convertido ahora en su mujer para siempre—. Ya estoy casada contigo.

LOS ASHTON

Laura Wright - El sabor de la seducción

Anna Sheridan merecía tener una vida perfecta… algo que, con su historial familiar, Grant Ashton nunca podría darle. Su destino era estar siempre solo.

Anna nunca había sentido que criar al hijo ilegítimo de su difunta hermana fuera un sacrificio, pero negarse a sí misma el placer más absoluto sí lo era. Nunca había sentido nada tan poderoso como el deseo que Grant despertaba en ella… Por eso no podía permitir que se marchara y que renunciase a la felicidad por culpa de la sangre que corría por sus venas.

No. 42

Barbara McCauley - El precio de un amor

El millonario Trace Ashton había descubierto lo frías que podían ser algunas mujeres de la peor manera posible; su prometida había aceptado un millón de dólares por dejar de verlo. Aquella traición lo había convertido en un hombre amargado y vengativo. Por eso cuando Becca Marshall se atrevió a regresar y pretendió volver a moverse en los mismos círculos sociales que él, Trace ideó su venganza.

Mientras seducía a Becca, Trace se dio cuenta de que ocultaba algo. Su modesta vida no encajaba con el precio que le habían pagado por traicionarlo…

¡YA EN TU PUNTO DE VENTA!

Deseo

La noche más salvaje

HEIDI RICE

Decirle a un hombre guapo y casi totalmente desconocido que iba a ser padre no era sencillo. La química inmediata que catapultó a Tess Tremaine a la noche más salvaje de su vida no iba a desaparecer tan fácilmente... y nadie le decía que no a Nate Graystone cuando este decidía tomar cartas en el asunto.

Tess quería convencerse de que sus hormonas desatadas eran la única razón por la que no podía mantener a Nate fuera de su cama y de su pensamiento... y por la que no se cansaba de desear que el hombre más inalcanzable que había conocido nunca le diera más y más.

Nº 1950

¿Qué esperar con un embarazo inesperado?

¡YA EN TU PUNTO DE VENTA!